Iwanami Junior Start Books ジュニスタ

木が泣いている

日本の森でおこっていること

Nagahama Kazuyo
長濱和代

岩波書店

この本の内容

著者の長濱和代先生は、地球環境の問題を、世界の森林減少とその保全の観点から解決する研究をしています。そのため、国内だけでなく、インドなど海外にもフィールドワークに出かけます。

世界有数の森林国・日本。その豊かな森は林業の衰えとともに、放置され、利用されない林地が出現しました。結果、荒廃し、様々な災厄が起きています。現在、その状況を改善するための取組が各地で進んでいます。

本書では、環境問題の視点も取り込み、「森と人とのよりよい関係・そして未来をどう作っていくか」を、歴史もふまえ、解説します。

この問題は、国連サミットで採択されたSDGs(持続可能な開発目標)にも深くかかわっています。

目次

本文イラスト＝内田竜嗣

＊本文中の図版の出典については「出典一覧」にまとめた。また、登場する人々の肩書は、執筆時点のものである。
＊クレジットのない写真（図P-1をのぞく）は、すべて123RFの素材を使用。

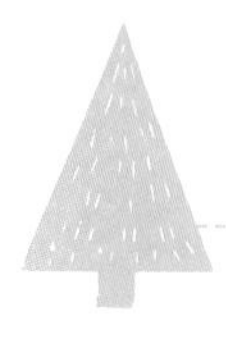

プロローグ　森へ行こう！

みんなが思い浮かべる森って？

「森」と聞くと、みなさんはどんな風景を思い浮かべますか。実際に行ったことがありますか。それとも本や映画などで見た風景でしょうか。もしかしたら、おうちや学校の近くに森があったり、山があったりする人もいるかもしれませんね。

日本の昔話では、木々が生い茂る山へ柴刈りに行くお爺さんやお婆さんがよく描かれてきました。大人にも子どもにも人気があるスタジオジブリの映画『もののけ姫』には、山深い森が描かれています。それらは屋久島や白神山地の深い森を「大いに参考にした」とホームページ（以下、ＨＰ）で紹介されています。

また大人気のマンガ『鬼滅の刃』では、森の中での迫力ある戦いの場面が多々描かれています。主人公の竈門炭治郎が初めて仇敵・鬼舞辻無惨に出会った下町や映画になった「無限列車編」以外は、多くが山や森の中が舞台でした。そもそも炭治郎は山から木を取ってきて炭にして、それを売って暮らしを立てていました。鬼殺隊になるための修行も山の中で行っていました。そういえば、ゲームソフト「どうぶつの森」の舞台も、「森」でしたね。

森は私たちにとって、どんな存在なのでしょう。現在は都市化が進み、森はもちろん、雑木林でさえも大都市ではほとんど見られなくなりました。でも実は、身近な存在として、様々な森がみなさんの中に存在しているのではないかと思っています。なぜって、それは日本が世界でも有数の森林を誇る国だからです。

小さいころに、神社やお寺がある森(「鎮守(ちんじゅ)の森」)で遊んだ経験はありませんか？　地方に住む祖父母のおうちの周りはどうだったでしょうか？　登山やハイキングに行ったときに、森の中を通った経験はありませんか？

最初の質問に戻りましょう。みなさんが思い浮かべた森は、どんな風景だったでしょう。

図P-1の写真をご覧ください。どちらに近かったでしょうか。比較しな

図 P-1　上は人工林，下は天然林

がらよく観察してください。二つの森は、何が違うでしょうか。

上の写真は、まっすぐに伸びる木が多く写っています。これらは何十年も前に人の手によって植えられたスギの林です。下の写真は、いろいろな種類の木があり、枝が左右に広がっているのがわかります。こちらは人の手が入ることなく、自然に成長した森林です。前者は「人工林」、後者は「天然林」と呼ばれています。

日本ではスギの木が最も多く植えられてきた

1章で触れますが、日本では人工林が増えていて、なかでも多く植えられてきたのは、スギやヒノキです。名前を聞いて、どんな形状をしているかを思い浮かべることができる人は、「樹木博士」ですね。実際には、思い浮かべられない人、実物を見ても区別がつかない人の方が多いかもしれません。

この二種類の木は針葉樹の仲間で、その葉は先がとがった形をしています。他方で、神社やお寺の周りに多く植林されているクスノキ(映画『となりのトトロ』にも出てきますね)は、針葉樹と比べて葉の形が広く、広葉樹と呼ばれます(図P-2)。

図 P-2　針葉樹(上)と広葉樹(下). 葉の形に特徴が表れる

『日本書紀』までさかのぼると、スギ・クスノキは舟に、ヒノキは宮殿に、マキは棺に使うと記述されています。マキはスギ・ヒノキと同じ針葉樹です。またクスノキは、防虫剤や医薬品の原料としても使われてきました。これらの樹種(じゅしゅ)(樹木の種類)は、形質に優れ加工しやすいことなどから、古くは奈良時代から、私たちの生活の中で利用されていたのです。そのため植林する際には、このように利用価値の高いものが選ばれました。とりわけ成長が早く、加工がしやすく、日本の自然環境に広く適応できるスギは、「人工林」として最も多く植林されるようになりました。

スギの木が泣いている原因は何だろう?

ところが、そうして人の手によって植えられたスギの木は、現在、人に悪影響を及ぼす元凶として疎(うと)まれたり、邪魔なものとして放置されたりするようになりました。あれほど、私たちの暮らしに必要とされていたスギがどうして、真逆の立場に追いやられてしまったのでしょうか。私には、スギが泣いているように見えます。その原因を探っていきましょう。

◆泣いている理由① スギ花粉

疎まれているスギと聞いて、真っ先に思い浮かぶのは、花粉症です。花粉量として、日本で最も多いのがスギ花粉です。スギは北海道の南部から九州にかけての広い地域に植林されています。その総面積はおよそ四五〇万haで、とくに東北地方と九州に多く植えられています。

花粉が飛散する時期は、地域により多少の違いがありますが、二～四月が中心です。コロナ禍以前、その時期にマスクをするのは、花粉症を発症した人、またはその予備軍の人たちでした。スギの花粉が原因で、様々な症状に悩まされている人はどれくらいいるのでしょうか。

東京都で平成二八(二〇一六)年度に行われた「花粉症の実態調査」を見ると、二人に一人がスギによる花粉症を発症していることが読み取れます。しかも調査を行った各地域(あきる野市・調布市・大田区)では調査を重ねるごとに、発症者が増加しています(図P-3)。都内全体では、第1回の調査時より、花粉症になっている人が約五倍にもなっています。

さらに同じ調査で年齢区分別の花粉症の推定有病率も出ています。全年齢

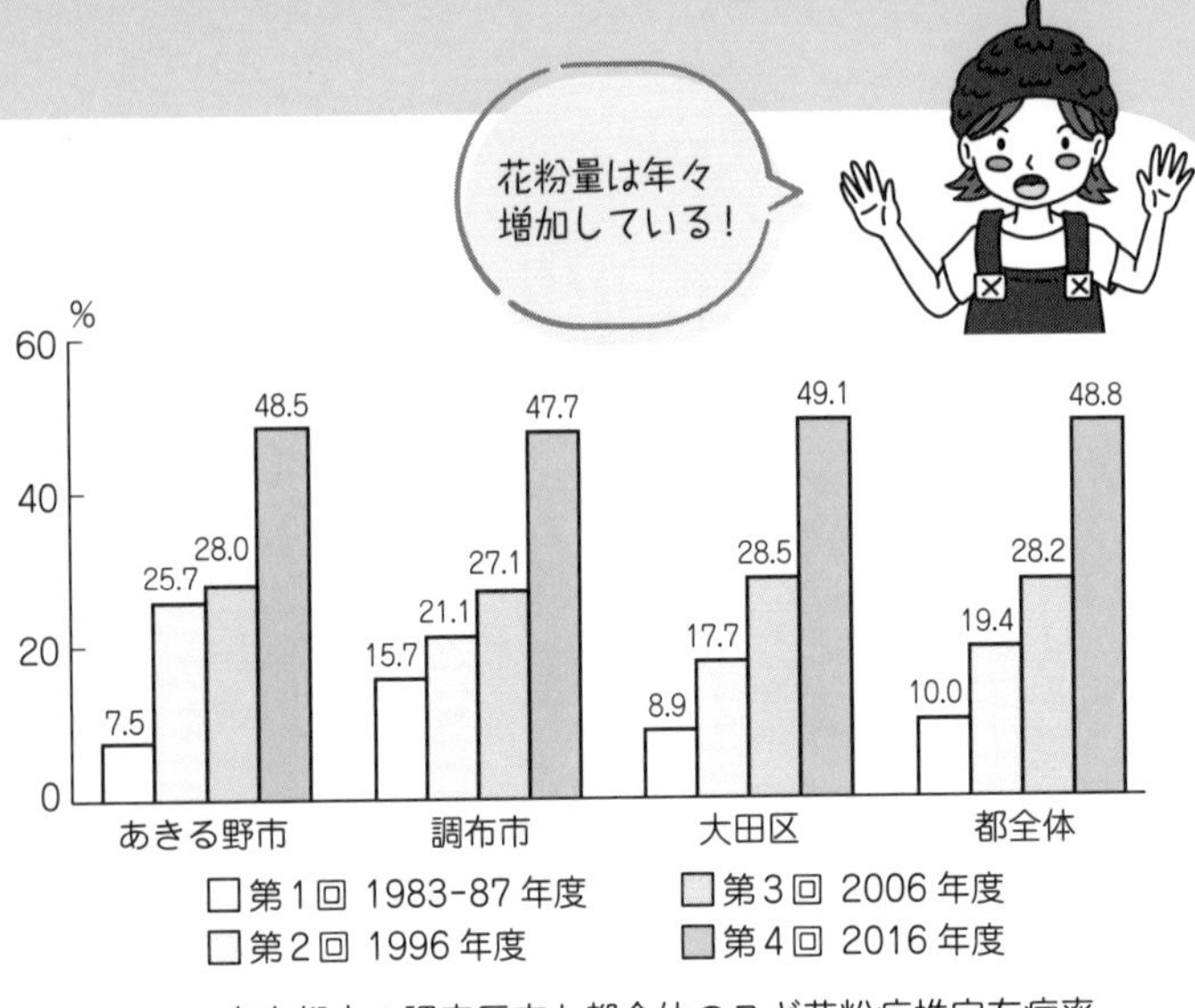

図 P-3　東京都内の調査区市と都全体のスギ花粉症推定有病率

区分で前回調査よりも上回っていました。本書の読者対象を含む〇〜一四歳の約四〇%、一五〜二九歳の約六〇%に、スギ花粉による症状が出ていることがわかりました。

鼻水やくしゃみ、目のかゆみなどに困った人は多いと思います。こんなに被害が大きいのなら、いっそスギの木を「伐る」(*)のはどうか? と考えてもおかしくありません。こんなに多くの人が苦しんだり、不快な思いをしたりしているのですから。

*木については「切る」より「伐る」を使

います。

◆泣いている理由② 育ててももうからない!!

しかしスギの木を「伐る」のは、そう簡単にはいきません。なぜならお金がかかるからです。「伐った木を売ればいいのでは」「そしてもっと高く売れる木を植えたらいいのに」と思う人もいるでしょう。ところがコトは、そう単純ではないのです。

実はスギを育てても利益が出ないのです。千葉県農林水産部森林課が発行している資料をもとに森の現状を見ていきましょう。

スギを五〇年間育てるためには、地ごしらえ(植栽準備)、植栽、下刈り、枝打ち、間伐などの作業があり、それぞれ経費がかかります。面積一ha、植栽本数二五〇〇本、下刈りは五年目まで(四年目までは二回/年、五年目は一回)、枝打ちは四mまで(二回)、間伐は三〇年生と四〇年生の時に、それぞれ二〇%と仮定すると、およそ二九五万円かかります。二五〇〇本植栽したものを二〇%ずつ二回間伐すると残存木は一六〇〇本、被圧(ひあつ)されて枯死(こし)するものを考慮して、五〇年生で一五〇〇本が残るとすると、一本あたりの経費は二九五万円÷一五〇〇本=一九六七円となります。

（千葉県農林総合研究センター森林研究所「里山活動によるちばの森づくり人工林の管理」二〇一一年）

つまり五〇年の間、成長したスギの一本あたりの経費（かかった金額）は約一九六七円との試算が出ています。これよりも高く売らないと赤字になってしまいますね。次を読んでみましょう。

五〇年生のスギ林の平均樹高を二二m、胸高直径を二五㎝とすると、スギ一本の幹材積(かんざいせき)（樹木の体積）は材積表から〇・五七四六m^3となります。

一方、平成二二年現在の山元立木価格（伐る前の木の値段）は二六五四円／㎥です。したがって、五〇年生のスギ一本の値段は、二六五四円／㎥に〇・五七四六㎥を乗じた額となり、五〇年育ててもわずか一五二五円にしかならないことがわかります。（同右）

このように利益を出すことが難しいため、スギ林は伐期（木を伐る時期）を過ぎても伐ることもできず、手入れもされず、放置されるようになりました。もちろん放置されている森林ばかりではありませんが、手をかければかけるほどお金がかかるから、林業事業者もお手上げなのです。またこの傾向は千葉県に限ったことでなく、全国的なものでもあります。そんな森を歩くと、「どうして放置しておくの？」と木々に訴えられている気持ちになります。どの木も、地域の役に立つために何十年も前から植えられてきたのに……。

木を伐らずに森林を蓄積していくことは、二酸化炭素等を吸収し、炭素を残す点では評価ができます。でも、その木材は利用されないままでいいのでしょうか。

木製品の利用が減少している

スギの木の用途について調べてみますと、主に木造建築の構造材や造作材、さらには建具、天井板、床柱などに使用されています。加工しやすい性質があるためです。その他には、味噌やしょうゆ、お酒を作る蔵元で桶や樽として使用されています。その他に枡や割箸なども作られています。また、秋田杉などで作られた「曲げわっぱ」も有名です。そう、楕円形をしたお弁当箱です。かつては農機具などにも、スギが利用されたそうです。

こうしたことから、スギは多様な使われ方をしてきたことがわかります。ここに挙げたもののうち、みなさんが使っている、もしくは知っている木材製品はありましたか？

「風呂桶はあるけど、プラスチックだよ」「勉強机は、木だけど、お父さんに聞いたら、合板だって言われた」「お箸は木だよ」「樽は、旅行で行ったワイナリーで見た」「醸造所(じょうぞうしょ)の味噌蔵に大きな桶があったよ」「おじいちゃんちの床柱は木だった」等々、いろいろな声が聞こえてきそうです。小物は、プラスチックや他の加工品を使っている人が多いかもしれませんね。

木造の家は今もありますが、鉄筋コンクリート造りの家も増えていますし、マンションも同様です。また最近では、新築住宅の木造着工率は全体的に減少傾向にあります。

住宅に限らず、生活のあらゆるところで木材が利用されなくなり、木材製品は、他の原料・材料にも置き換えられている現実が見えてきます。

私たちの生活は、そもそも木材製品がなくても成り立ってしまうところまできたのでしょうか。私はけっしてそうは思いません。なぜなら、森林は私たちの暮らしにずっと寄り添ってきた歴史があるからです。しかも、日本は世界でも有数の森林国でもあります。

ではそんな豊かな森がなぜ利用されていないのでしょうか。そこにはどのような原因があり、変化があり、現在にいたったのでしょうか。次の1章では、日本の森林の歴史をたどりながら、その点を考察していきます。

なお、本書で出てきます「森」「林」「森林」「林地」の大きな違いは、「森」は木がたくさん茂っているところ、「林」は同じ種類の木が立ち並んでいるところ、「森林」はより広い範囲で森が広がり、生き物や土壌も含む総体、「林地」は森林を作り出している土地を指しています。

屋久杉の年輪

コラム① 木は五年で一つ年をとる——人間よりも長寿の木はどこに？

木の年齢を林齢（りんれい）といい、五年をひとくくりにしています。林齢一年～五年生を一齢級（れいきゅう）、六年～一〇年生を二齢級、以下三齢級……と表します。木は人よりもゆっくりと年をとっていくのですね。

スギでは、二〇齢級（一〇〇年生）を超える林地が全国に散らばっています。二〇齢級以上のスギの林地面積（国有林と民有林を含む計画対象森林の合計）の都道府県別ランキングの第一位は、奈良県（九一五〇ha）、二位は秋田県（五五七〇ha）、三位は新潟県（五一九八ha）となっています（林野庁二〇一七年）。樹種齢級別面積の資料が林野庁から公開されていて、スギ以外の樹種も調べられます（https://www.rinya.maff.go.jp/j/keikaku/genkyou/h29/4.html）。

「日本三大人工美林」として知られる静岡県の「天竜杉（てんりゅうすぎ）」、三重県の「尾鷲檜（おわせひのき）」、そして奈良県の「吉野杉（よしのすぎ）」は、古くから人の手で植えて育てる植林が続けられてきました。

秋田では、秋田杉が『万葉集』で詠われていました。当時から秋田杉は、

屋久杉の森

建築材をはじめとして、様々な用途に使われてきました（https://www.rinya.maff.go.jp/tohoku/introduction/gaiyou_kyoku/nibetu/3_rekishi/index.html）。

鹿児島県の屋久島に自生する「屋久杉」のうち最大級といわれる「縄文杉」は、林齢五四〇齢級（樹齢約二七〇〇年）以上と推定されています。

人間よりも長く生きている木は、読者のみなさんが暮らす地域にもあるでしょうか。長寿の木を見つけたら、ぜひ教えてください。

豊かに利用されてきた日本の森

日本は世界有数の森林国

世界の森林率(国土面積に占める森林面積の割合)から日本の状況を見ていきましょう。

FAO(国際連合食糧農業機関)が二〇一〇年に公表したデータによると、国別の森林率は、トップがフィンランド(七三・九%)で、日本(六八・二%)、スウェーデン(六六・九%)、韓国(六三・五%)、ロシア(四七・二%)がそのあとに続きます。

表1-1をご覧ください。こちらは、さらに新しいデータ(二〇二〇年)になります。OECD(経済協力開発機構)に加盟している三七カ国中、フィンランド、スウェーデンに続いて、日本が三番目に森林率が高いことがわかります。つまり日本が世界有数の森林国であることが確認できます。

日本では、国土面積の約七〇%、約三分の二にあたる約二五〇〇万haが森林となっています(二〇一七年三月現在)。森林面積は、林野庁の統計調査を

表1-1　OECD加盟国森林率上位10カ国

順位	国名	森林面積（1000 ha）	森林率（%）
1	フィンランド	22,409	73.7
2	スウェーデン	27,980	68.7
3	日本	24,935	68.4
4	韓国	6,287	64.5
5	スロベニア	1,238	61.5
6	エストニア	2,438	56.1
7	ラトビア	3,411	54.9
8	コロンビア	59,142	53.3
9	オーストリア	3,899	47.3
10	スロバキア	1,926	40.1

見ると、一九六〇年代以降はほぼ横ばいで、大きな増減はありません。

しかし森林の樹種の構成が何年もの間に大きく変化してきています。日本の森林は、自然に成長した天然林と、人が植林した人工林とで構成されていて、かつては天然林が多かったのですが、だんだんと人工林の割合が高くなってきています。針葉樹が中心の人工林から成る森と、広葉樹から成る天然林が広がる森とでは、印象が違ってきますね（図P-1参照）。

林野庁の調査によると、森林蓄積

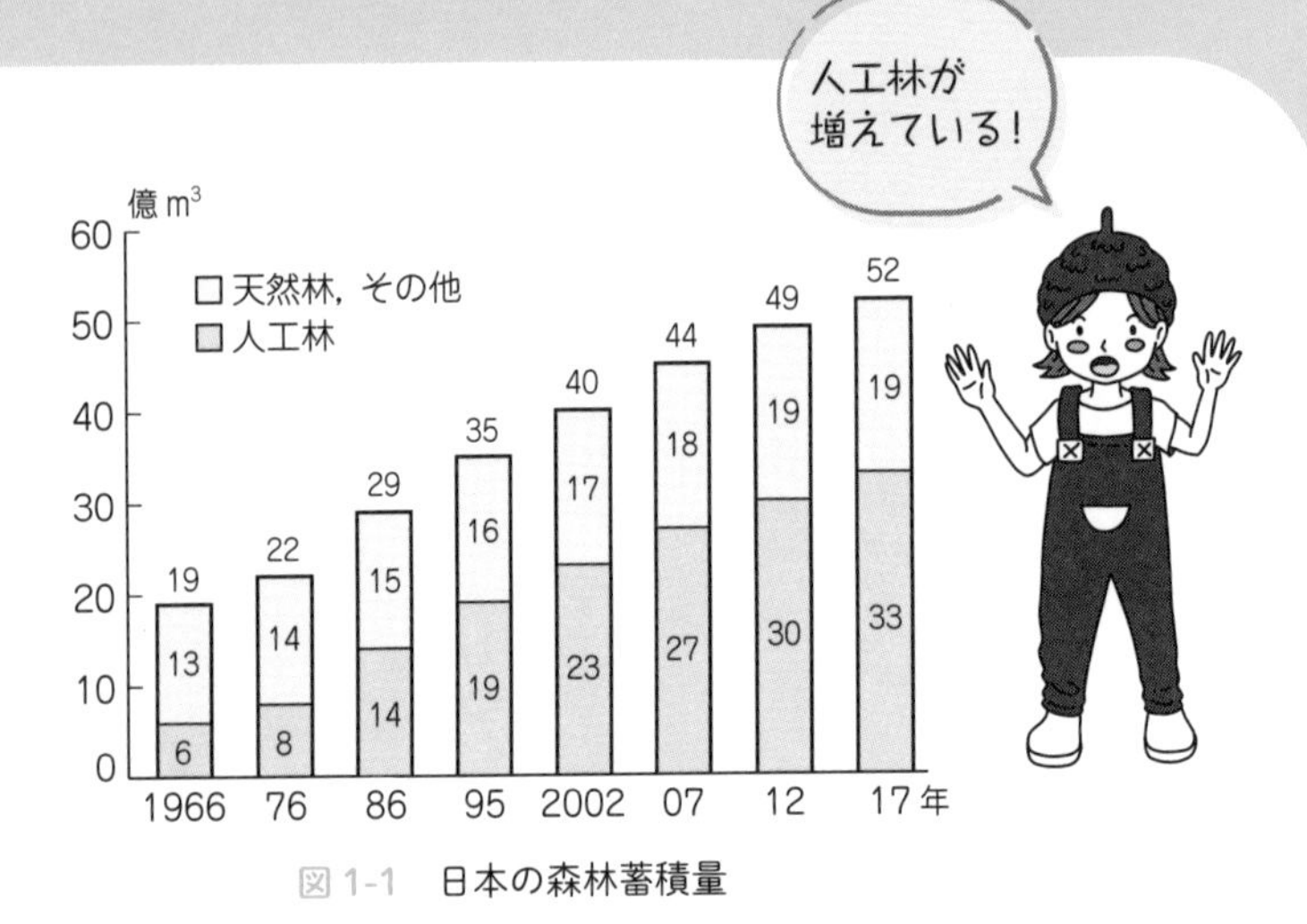

図1-1　日本の森林蓄積量

量は人工林を中心に年々増加してきています(図1-1)。森林蓄積量は、森林として保存されている木材の総量のことを指します。それが多いということは、つまり森林の資源量が多いということです。

日本の森林蓄積量は、二〇一七年三月末現在で約五二億㎥となっていて、このうち人工林が約三三億㎥と約六割を占めています。一九六六年から二〇一七年の間に、五倍強に増えています。その増加の原因は、天然林よりも成長が早いためともいえますが、果たして理由はそれだけでしょうか?

人工林の中でも、スギの割合は約四四%で、ヒノキの一・七倍も植えられています。

その他の樹種を抜いて、最大面積を占めていることがわかります（図1-2）。

ここからは、スギを中心に、日本の森林事情をくわしく見ていきましょう。増え続ける人工林は、第二次世界大戦後から高度経済成長期に植林された木が多くを占め、その半数が五〇年を過ぎて、利用できる時期を迎えているといわれています。しかし、その多くが伐採されないまま放置されていることは、プロローグでも述べました。

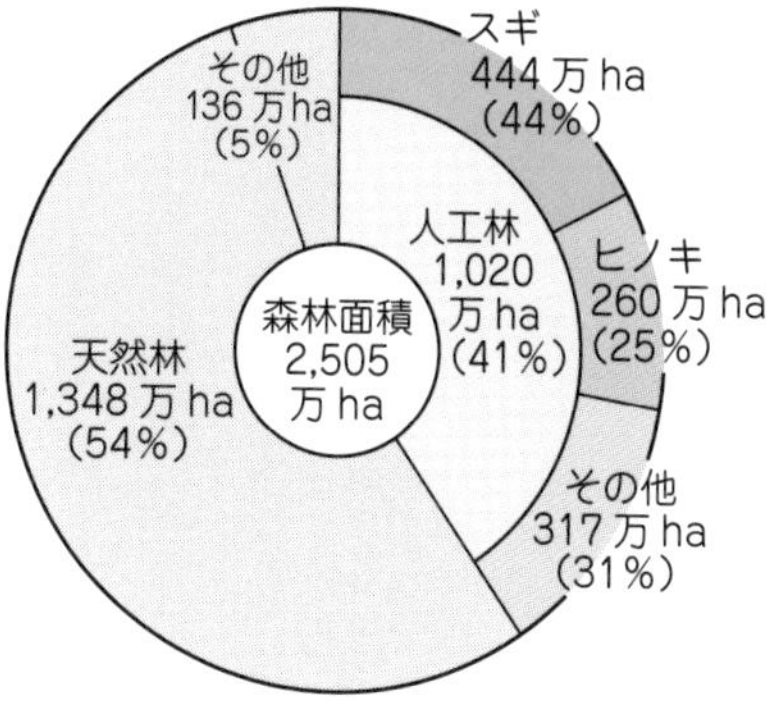

林野庁のHPには、その理由を解き明かす数字があります。二〇〇六年の「木材需給表」をもとにした次の一文をご覧ください。

日本で一年間に利用される木材を一〇〇本の丸太にたとえると、どうなるでしょう？

森林面積
2,505万ha
人工林
1,020万ha
(41%)
スギ
444万ha
(44%)
ヒノキ
260万ha
(25%)
その他
317万ha
(31%)
天然林
1,348万ha
(54%)
その他
136万ha
(5%)

図1-2　森林面積に占めるスギ林の割合(2017年3月末現在)

日本の森林から二〇本、残りの八〇本は外国から輸入しており、実に八割が外国のものです。

外材（外国産の木材）の内訳は、東南アジアから一二本、カナダから一一本、オーストラリアから一〇本、ロシアから九本、米国から八本、ヨーロッパから七本などとなっています。

用途別に見ると、住宅の建築や家具などで五三本、紙の原料などに四二本使われています。

つまり、資源として木材を保有しているのに、国産の木材は使用しないで、海外からの輸入に頼ってきた現実が見えてきます。

また国産の木材二〇本のうち、スギの木の割合は正確にはつかんでいませんが、四割は超えていると推測しています。

では人工林の林地に、なぜ多くのスギの木を植えることになったのでしょうか。次のパラグラフでは森の歴史を振り返りつつ、日本の林業や森林政策を考察していきます。

日本の森はどのように利用されてきたの？

みなさんは、里山という言葉を聞いたことがありますか。「うちの近くはそうだよ。里山があるよ！」と言う人もいるかもしれませんね。里山は、深山（『広辞苑』には「奥深い山」とあります）の対義語でもあります。古くから人間が燃料の採取をし、農業のために利用してきた林地でもある里山林では、人々のくらしが森林と密接に結びついていました。

私たちの祖先は林地に暮らしながら、同時にその土地を守り、整備をしながら、森の豊かさを保ってきたのです。

日本では、国の所有する「国有林」が全森林面積の約三割を、個人の所有する「私有林」が約六割を占めています。私有林では、全蓄積量のうちの約七割を人工林が占め、多くのスギが植林されました。

しかし近代化や開発、戦争などを経て、森と人との暮らしのバランスが大きく崩れてしまったのです。私たちの祖先は、森とどのようにかかわり、暮らしてきたのでしょうか。また、なぜスギを植林してきたのかをあらためて見ていきましょう。

ここからは、日本の森林の歴史を、時代ごとの特徴をふまえつつ振り返っていきます。

縄文時代・弥生時代

縄文の時代から、日本人は森とともに暮らしていました。火を起こすために木々を伐採し、食用のために山菜やキノコ、ドングリや栃(とち)の実など、木の実を森から取ってきました。

またクリや漆(うるし)は、その実や木の皮、樹液を森から取ってくるだけでなく、身近に栽培して利用していたことも、青森県の三内丸山(さんないまるやま)遺跡やその出土品から確認されています。住居のすぐわきに、そうした木々が植えられていたのです。森林を刈り、開いて火をつけ、その焼け跡に作物の種をまく「焼畑」

図1-3　当時を復元した竪穴式住居(右)と住居内(左)(写真提供：千葉市立加曽利貝塚博物館)

もこの時代に始まりました。火入れ後には、雑穀や野菜の種のみならず、樹木の苗も植えられていました。

千葉県にある加曽利貝塚では、当時の竪穴式住居が復元されています。穴の上に、円錐形の茅葺屋根が地面まで葺き下ろされています。中に入ると、屋根を支える「主柱」「桁」「垂木」などに木材がふんだんに使われているのがわかります(図1-3)。

弥生時代も中期になると、森から調達した木材が水田耕作や祭祀・食事の折の道具(図1-4)として利用されるようになりました。落葉や刈り込んだ若葉を田んぼの中に踏み込んで腐らせ、肥料としても使いました。奈良時代に書

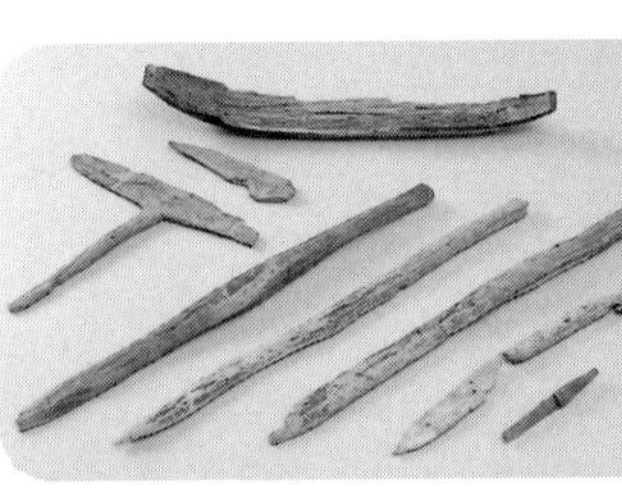

図 1-4　弥生時代中期の集落から出土した木製の農具（上），祭祀具（中），容器類（下）（写真提供：佐賀県）

かれた『風土記』では、松脂（まつやに）やカヤの実である榧子（ひし）など、様々な草木が薬用にも使われていることが記されています。

飛鳥時代から戦国時代まで

飛鳥時代以降は社会、そして人々の暮らしの変化とともに、木の使われ方は大きく変わっていきました。特徴的なのは、こまごまとした生活用品や家の柱など、暮らしに密着したものだけでなく、もっと大きな用途、権力の象徴として、木が使われるようになっていったことです。

時の権力者による、平城京や平安京といった大きな都の造営がそれにあたります。たくさんの木材がその建造に使用されました。建築が進んだ神社仏閣についても同様です。修学旅行で奈良を訪れた人も多いかと思いますが、法隆寺はその最たるものです。

この時代は、建造物建立のためだけでなく、林地から農地への開墾も進み、森林が乱伐されました。この状況を憂慮した天武天皇は、六七六年に飛鳥川上流の畿内(近畿地方)の草木採取と、山野の伐木を禁止する勅令を出しました(『日本書紀』)。この森林の伐採禁止令は、日本で最古の記録といわれています。

武家の時代に入ると、人口も増え、住居や食料を得るための道具として、木材の需要が増えていきました。他方、戦乱は続き、家が焼ければ建て直しのために木が伐採され、戦のため森林が焼かれることもあり、森林の荒廃が

図1-5 『吉野林業全書』より．植林技法などの記録

くりかえされました。

しかし中央やその土地の権力者たちは、森林を荒廃したままにするのではなく、川岸や海岸を守るため、また村落周辺の防風や美観のために、植林に着手しました。明治時代に刊行された『吉野林業全書』によると、奈良県吉野郡ではスギやヒノキの植林が開始されたとする史実が記録されています（図1-5）。植林の歴史は室町時代に始まり、本格的な植林技法について記された最古の記録とされます。他の地域でも、静岡県浜松市天竜区の秋葉神社でのスギ、ヒノキの植林の記録や、安土桃山時代には、武蔵国高麗郡（埼玉県）で数万本の苗を植え、数十町歩（一町は約一ha）の原野を切り開いて木を増殖した記録も残っています。

江戸時代

江戸幕府が開かれると、江戸や大坂などの大都市に人口が集中するようになりました。新しい城の建造や増改築、武家屋敷や寺社の建造が相次ぎ、それに伴い木材の需要がますます高まっていきました。しかも江戸は火事が多く、大火が起きるたびに町を修復する必要があり、多くの木材が集められました。

当時の大坂も商業都市としてにぎわうようになり、たくさんの商家が城下や港近くに軒を連ねました。そうした建築物だけでなく、タンスや桶（おけ）、樽（たる）といった生活用品をはじめ、日本各地を回る船もすべて木材が使用されていました。テレビや映画で時代劇を一度でも見たことがある人なら、想像しやすいと思います。

江戸時代もまた、こうした動きを背景に全国各地で森林伐採が進み、やがて災害の発生や資源の枯渇（こかつ）が各地で深刻化していきました。

この状況に対し危機感を抱いた幕府や各藩では、様々な政策を立てて、実行しました。その一つが、森林の伐採を禁じる「留山(とめやま)」です。同時に植林も推進して、災害防止や水源の確保に力を入れていきます。

一六六六年に幕府が出した「諸国山川掟(しょこくさんせんおきて)」では、森林開発の抑制と河川流域の植林が奨励されました。それが次の文章です。

「川上左右之山方　木立無之所ニハ、当春ヨリ木苗ヲ植付、土砂不流落様可仕事」(川上の左右の山で木立ちのないところには、今年の春より苗木を植えて、土砂の流出が起きないようにすること)

このころになると、森林政策の専門家たちが現れるようになりました。彼らの考えに従い、土砂の流出防止、水源の涵養(かんよう)(水をためる)、防風、海岸での防砂(ぼうさ)など、人の暮らしに役立つ林地が各地で造成されました。さらに木材を生産する目的で植林が行われるようになりました。大都市に近く、河川を使って木材を流して送ることができる地域では、林業の発達に伴い林業地が形成されました。

明治時代

しかし明治時代に入ると、またも状況は一変します。西欧に追いつけ追い越せと、明治政府は急激な近代化に着手しました。木材は建築用材だけでなく、工事の足場や杭(くい)、鉱山の坑木(こうぼく)、電柱、鉄道の枕木(まくらぎ)、貨物の梱包(こんぽう)、造船材料、桟橋(さんばし)などの建造物、さらに紙に加工されるパルプの原料などにも利用され、近代産業を支える柱の一つとなりました。この陰で森林の荒廃に拍車がかかり、各地でまた災害が多発するようになりました。伐採後、植林もされなかった山に雨が降ると、土砂が一気に流れ、地面が崩れていったのです。

明治政府は、それまで森林保全のための対策を講じていませんでしたが、各地の災害を受け、一八九七(明治三〇)年に日本で初めての森林法を制定して、森の利用と管理について本格的に規制を始めました。

私有林では林業技術の導入・改良の意欲が、明治二〇年代から林業に携わる人たちの間で高まっていきました。各地では林業生産が盛んとなり、新たな林地が生まれました。日清・日露戦争後の木材需要の増大も、その動きを後押ししました。

一九〇七(明治四〇)年には、政府により「植樹奨励事業」が開始され、植林が奨励されました。そのため荒廃地を復旧し、再生するための取組が各地で計画的に行われるようになり、苗木の養成に補助金が支出されるようになりました。

戦争の時代

第二次世界大戦の拡大に伴い、軍需物資として大量の木材が必要となりました。そのため各地で森林の伐採が行われました。戦況の悪化に伴い、物資が乏しくなると、お寺の鐘、ご飯を炊く釜などの金属が集められ、武器生産に使用される一方で、大規模な木造の輸送船の生産計画が、国家主導で進められていたそうです。また同じころ、木製のプロペラの開発も行われていたようです（石原亘「人と木のひととき」https://sapporo-woodies.org/column/hitotoki/vol3.html）。

一九四五年八月四日の朝日新聞（大阪本社版）の一面には「本土決戦へ入魂の木製機続々生産」との写真が掲載されました。実際、木材を圧縮して利用する技術などは当時、かなり研究されたようです。

戦争中、東京、名古屋、大阪、神戸などの大都市や県庁所在地など多くの都市が敵機の空襲を受け、焼け野原となりました。大都市だけでも二万棟以上の木造家屋の焼失や破壊があったとされています。東京大空襲では被災した住宅戸数が、約七〇万戸にもなるそうです（東京大空襲・戦災資料センターHP）。当初は焼け残った廃材を集めてバラックを建てて住んでいた

図1-6　過剰な伐採で裸地化した山々（写真提供：大阪府みどり推進室）

人々も、国の再建が進む中で、少しずつ生活を立て直し始めました。復興時、多くの木材が必要になったことはいうまでもありません。

復興のために再び、大量の伐採が始まりました。また戦争前から、森林は農業などで利用されており、それ以外にも薪(まき)や柴、炭などが必要とされていたため、都市近郊の山々は裸地化(らちか)し、災害なども起きやすくなっていました。図1-6の写真は大阪府泉南市の昭和初期のはげ山の様子です。その後治山(ちさん)

図1-7　2019年6月に愛知県で開催された全国植樹祭．様々な行事が参加者とともに行われた．木材がふんだんに使用されたメイン会場(上)，植林を行う参加者たち(下)(筆者撮影)

事業が進みますが、当時はこのような状態の山があちこちで見られました。

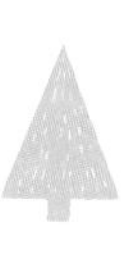

全国で植林が始まった

終戦の翌年の一九四六年から、植林、治山、林道整備のための補助事業が公共事業として組み入れられました。

そして一九五〇年には、「荒れた国土に緑の晴れ着を」をスローガンに、「第一回全国植樹祭」が山梨県で開催され、昭和天皇・皇后両陛下によるお手植えなどの行事が行われ、今に続いています。以後、国民的な国土緑化運動の中心的行事として、全国植樹祭が毎年、春から初夏に開催されています(図1-7)。

造林と国土の保全

一九五一年には「森林法」が改正され、規制が強化され、植林の事業がほぼ完了しました。

この時期は、先にも書いたように、戦後の復興などのため木材の需要が急増しました。早く木材を必要とする政府は、広葉樹からなる天然林の伐採跡地などを、針葉樹中心の人工林に置き換える「拡大造林政策」を実施しました。それを受けて、民間の林業者の中には、伐採跡地への植林だけでなく、里山の雑木林や奥山の天然林までを伐採し、スギやヒノキなど、成長が早い針葉樹の人工林へ置き換えていく人たちも出始めました。というのも、需要増加に伴い建築用の木材となるスギやヒノキの価格が急騰したからです。経済価値に気づいた林業者を中心に当時は、「山にスギやヒノキを植林しよう！」と「造林」ブームが起きました。

とくにスギはヒノキに比べても成長が早かったので重宝されました。しかもスギは、日本固有の樹種ということもあって、日本の土地に適していて、よく育ちました。しかも加工性に優れた性質（軽量で、かつ柔らか、そのうえまっすぐに育つ）を持っていました。さらに病気や害虫の被害にあいにくい性質も持っていました。

一方、このころ日本では、カスリーン台風、南紀豪雨、伊勢湾台風など、大規模な山地災害や水害が発生して、何千人もの人々が亡くなりました。こうした災害が大規模化したのは、大量の伐採にも原因があったと考えた国（政府）は、国土の保全の面からも、森づくりの必要性を強く認識するようになりました。

安価な木材の輸入が始まった

高度経済成長期になると、木材需要はさらに高まりました。そのため一九七〇年代までに、約一〇〇〇万ha（林地の約四割の面積）に及ぶ人工林にスギやヒノキ、カラマツなどが植えられました。それでも当時は木材が足りず、商社や建築会社が中心となって、ついに海外から外材丸太の輸入を始めました。

その後、外国産の木材輸入が自由化され、安価な輸入材が市場で大量に出回るようになりました。その影響を受け、価格の高い国産材の需要があれよ

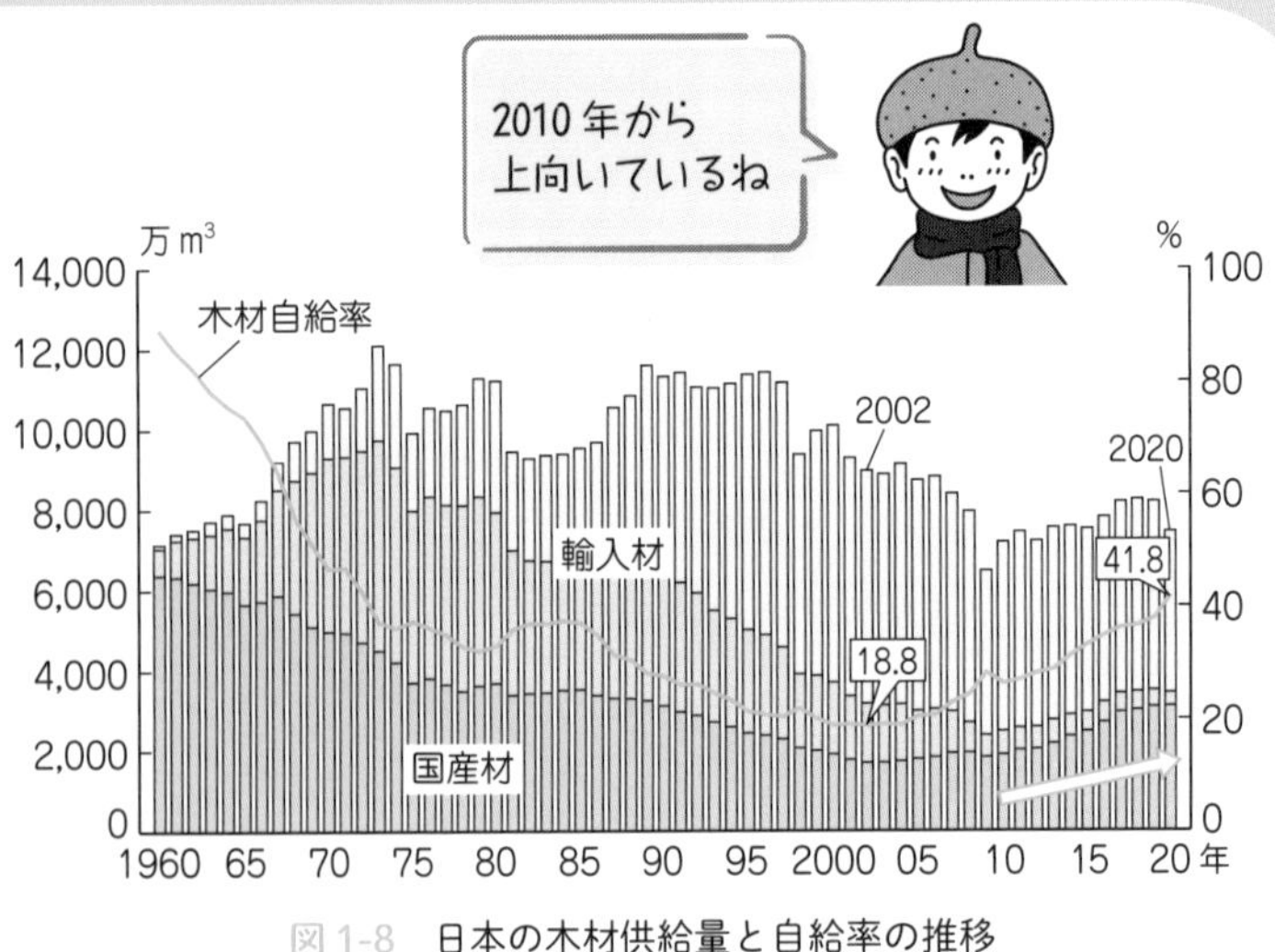

図 1-8　日本の木材供給量と自給率の推移

あれよという間に減り始め、二〇〇二年の木材自給率は、過去最低の一八・八％まで下落しました（図1‐8）。結果、国内生産が縮小して、林業就業者や木材加工業者が減少しました。

　また、この時期に、家庭用の燃料が薪や炭の木質燃料から、石油やガスなどの化石燃料へ転換していきました。日本の森林資源は、燃料としても価値を失い、林業はますます勢いを失っていきました。

　そうした苦難の時期を、国の施策や林業者の工夫と踏ん張りで乗り越え、二〇一〇年以降は木材自給率が上向きになり、二〇二〇年には四一・八%まで回復してきました(図1-8、白い矢印)。具体的な回復の理由については、3章で説明します。

平成・令和の時代

今、本を手に取ってくださっているジュニア世代のみなさんが誕生した平成の時代には、地球規模の環境問題が深刻になり、その対応に迫られた国は環境重視の森林政策へシフトしていきます。経済効率を第一に考えて成長の早いスギなどを主に植えてきましたが、私たちの地球が持続するためのもっと根本的なことを考える必要が出てきたのです。

一九九二年には「気候変動に関する国際連合枠組条約(気候変動枠組条約:UNFCCC)」が国連総会で採択され、森林の地球温暖化防止機能に注目が集まるようになりました。

さらに一九九七年の「気候変動枠組条約第三回締約国会議(COP3)」では「京都議定書」が採択され、日本は温室効果ガス削減目標六%のうち、三・八%を森林による二酸化炭素吸収分として確保するために、森林の果たす機能と役割が期待されるようになりました。

そして一九九八年には「国有林野事業」の改革が進められるようになり、国が管理する国有林の管理と経営は、木材や林産物の供給に重点を置いた方針から、公益的機能(2章で紹介)の維持と増進を目的とする方針へと大きく転換しました。二〇〇一年には、「森林・林業基本法」が制定され、森林の多面的機能(2章で紹介)の発揮のための政策が、体系的に推進されるようになりました。

今後は、コンピュータと最新の技術を駆使した情報通信技術(ICT)を利用する林業として「スマート林業」の推進が国の政策として進められ、その特性を生かした新技術の活用が、林業の現場で始まっています。

森とのかかわりは時代とともに変化

ここまで、日本の森林の歴史的変遷を見てきました。森林と私たちの暮らしのかかわりが、時代によって様々に変化してきていることが、わかっていただけたと思います。

日本の森の歴史を振り返る時、現在の日本の森林は「木を利用しなくなったことによる危機」を迎えている状況といえるでしょう。

またどうしてスギの植林が進んだのか、さらに新しい林業の形が進みつつあることも見えてきました。しかしその一方で、積み残された問題や課題にも気づいたのではないでしょうか？　大きくまとめると以下の点に要約することができると思います。

①林業生産活動の低迷により「伐って利用してまた植える」というサイクルをつくり出しにくい。
②必要な間伐などの手入れが行われないために、森としての健全性が失われる。
③人工林の増加に伴い、手入れされず密集した林地では台風などの災害に

弱い。スギ花粉症を発症する人が増加している。
④林業従事者の減少と高齢化が進む。
⑤木の「高齢化」とそれによる二酸化炭素吸収量の低下している。

それぞれがからみ合って、悪循環に陥っているといえます。これらの問題を解決していくために、森林をどのように利用していったらいいのでしょうか。森林が私たちの暮らしにどのようにかかわっているのかも含めて、2章で見ていきましょう。

吉野スギ

コラム② 森林からの恵み――林産物と特用林産物

薪や炭、木材を「林産物」と呼びますが、それ以外の林産物は「特用林産物」と区別して呼んでいます。特用林産物は、食用から非食用のものまで種類も多く、用途も多様です。

主なものは、シイタケ、エノキタケ、ナメコ、ヒラタケ、キクラゲ、マツタケなどキノコ類、ギンナンやクリ、クルミなどの樹実(じゅじつ)類、漆(うるし)や、松脂(まつやに)、椿(つばき)油(あぶら)などの油脂類、ワラビ、ゼンマイなどの山菜類、その他、薬木・薬草類などがあります。

縄文時代から、シイの実などのドングリは食されてきました。現代では、春は筍(たけのこ)、ふきのとう、タラの芽などの山菜を、秋はキノコやクリなどを思い浮かべるのではないでしょうか。

特用林産物の生産は、人口が少ない農山村地域の経済を発展させるための大切な産業です。とくにシイタケは他の特用林産物と比べて生産量が多く、年間を通じて栽培できる技術が開発され、流通のしくみが整備されてきました。

（上）たわわに実ったクリ
（下右）筍
（下左）ふきのとう

私の住む松戸市では「里やま保全活動」団体が民有林の管理をしています。なかでも「樹人の会」では二〇一五年から活動を始め、クリの実がなる時期には、会が主催するクリ拾いに参加させていただいたこともあります(もちろん地主さんの許可を得たうえでです)。台風によりクリ林が大きな被害を受けた年には、会のメンバーが集まって、折れた枝を処分するなどして林地の回復に努めました。手入れがよかったのでしょう、翌年には再びクリが実をつけました。それだけではありません、季節ごとに希少種の植物まで観察できる恵みもいただけます。キノコも林内に顔を出しますが、食用できるかの判断は素人では難しく、眺めて楽しんでいますが、いずれは見分けられるように研鑽(けんさん)を積みたいと思っています。

みなさんの身の周りでも、思わぬところで森林からの恵みを見つけるかもしれません。

2 森と人の暮らしのかかわり

前章で、森と人の暮らしのかかわりを、歴史に沿って見てきました。森とともに暮らしがあった時代から、今は必要や目的に応じて森を利用する関係になっているといえそうです。

あなたの身の周りを見回してみてください。あなたの周囲には、木でできたモノがどれくらいあるでしょう。またどんなふうに利用しているでしょう。探してみてください。

「木造建築の家に住んでいる」「うちのマンションの床はフローリングだよ。ドアも木製」「勉強机やベッドは木製です」「台所にあるまな板、菜箸、それから包丁の柄も木だよ」「薪ストーブで暖を取っている」等々、様々な木材製品が身近にあることがわかりますね。また利用の仕方もいろいろです。小さいころに遊んだ積み木が木製だった人もいれば、友達とさした将棋の駒も「そういえば木でできていた！」という人もいるかもしれません。あなたが読んでいる本や新聞などの紙製品の原料も、実は木材から取り出したパルプ材でできています。つまり、私たちの必要や目的に応じて加工して、使用しているのです。

また森そのものを味わうことも私たちはしています。たとえば自然と触れ合うために登山やハイキングに出かけた経験はありませんか？　出先で、うっそうと繁る木々の中を歩いたり、森の中でキャンプをしたりした人もいるのではないでしょうか。周囲に落ちている薪を拾い、燃やして飯盒炊さんやバーベキュー、さらにはキャンプファイヤーをした人もきっといるでしょう。最近では「森林セラピー」といって、森に癒しを求めた新しい付き合い方も生まれています。

かつてのように森と濃密な付き合いをしていないけれども、見わたしてみると、森の資源を様々な形で利用しながら暮らすスタイルは変わっていません。続いて、森林面積の半分を占める「保安林」に着目してみましょう。

林野庁のＨＰには「保安林とは、水源の涵養、土砂の崩壊その他の災害の

表 2-1　保安林の種類と面積（2021 年 3 月現在）

保安林番号		号数	面積（千 ha）
1	水源かん養保安林	1 号	9,244
2	土砂流出防備保安林	2 号	2,610
3	土砂崩壊防備保安林	3 号	60
4	飛砂防備保安林	4 号	16
5	防風保安林	5 号	56
6	水害防備保安林		1
7	潮害防備保安林		14
8	干害防備保安林		126
9	防雪保安林		0
10	防霧保安林		62
11	なだれ防止保安林	6 号	19
12	落石防止保安林		3
13	防火保安林	7 号	0
14	魚つき保安林	8 号	60
15	航行目標保安林	9 号	1
16	保健保安林	10 号	704
17	風致保安林	11 号	28
	保安林合計面積		13,004

防備、生活環境の保全・形成等、特定の公益目的を達成するため、農林水産大臣又は都道府県知事によって指定される森林です」とあります。国が定めた「森林法」では、目的別に一七種類の「保安林」を指定しています（表2-

1）。一七の保安林は、そのはたらきごとに一一のグループ（号数）に分けられます。

具体的に見ていきましょう。保安林の約七割を占める1号には、水源を涵養させるはたらきがあります。2号は、土砂流出を防ぐはたらきを持っています。その他の保安林には土砂崩壊、飛砂、水害、潮害、干害などを防備し、雪や霧を防いだり、なだれや落石を防止して、暮らしを守る機能を持つもの（3～7号）、さらに人の健康に役立ち、良い景観を演出する目的や役割を持つ保安林（10、11号）もあります。魚つき保安林（8号）は、海の生き物に豊富なえさを供給する役割を持ち備えています。また航海する船舶の目印になる保安林（9号）もあります。

つまり、森は多様な機能を兼ね備えているのです。

森が持つ多面的機能

このほかに森林が持つはたらき（機能）には、どんなものがあると思いますか？　少なくとも、次の①から⑧の多面的機能があるといわれています。

①生物多様性保全＝遺伝子保全・生物種保全・生態系保全

②保健・レクリエーション機能＝療養・保養・レクリエーション

③地球環境保全＝地球温暖化の緩和・地球気候システムの安定化

④快適環境形成機能＝気候緩和・大気浄化・快適生活環境形成

⑤土砂災害防止機能／土壌保全機能＝表面侵食防止・表層崩壊防止・その他の土砂災害防止・土砂流出防止・土壌保全など

⑥文化機能＝景観（ランドスケープ）・風致（ふうち）・学習・教育・芸術・宗教・祭礼・伝統文化・地域の多様性維持

⑦水源涵養（かんよう）機能＝洪水緩和・水資源貯留（ちょりゅう）・水量調節・水質浄化

⑧物質生産機能＝木材・食糧・肥料・飼料・緑化材料など

（林野庁ＨＰより）

図 2-1　森林の多面的機能のイメージ図

図2-1は、この八つの機能を、みなさんがイメージできるように表したものです。図の中の番号も対応しています。この図から、森林は私たち人間だけでなく、他の生き物や環境を守るという大きな役割を担っていることがわかります。

冒頭に挙げた保安林では、国土の保全を目的としたものが多かったのですが、その理由がわかったのではないかと思います。つまり森林は、私たちの社会全体に有益な影響を及ぼす、公益的機能を有している存在なのです。

ここからは、私たちの暮らしや社会にかかわる代表的な四つ（水、風、災害、温暖化）の事柄をくわしく解説していきましょう。

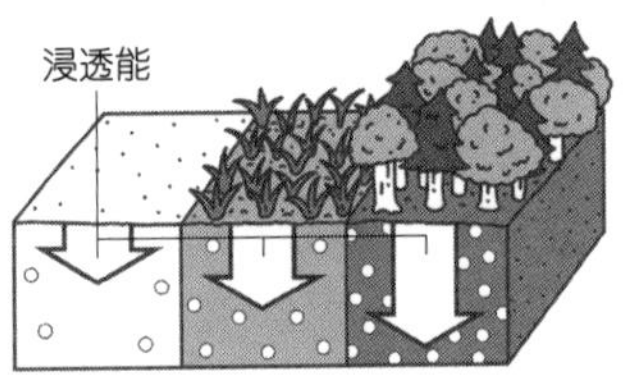

図 2-2　水をはぐくむ森林のしくみ．上は森林の貯留機能を，下は洪水を緩和する機能を示している

水をためる力・はぐくむ力

日本では、暮らし用、農業用、工業用などとして、良質の水を安定的に利用することができます。これは単に降水量が多いからではありません。森林が主に山間部に降った雨をため、浄化をしながら、河川を通じて下流域へ供給しているからです。

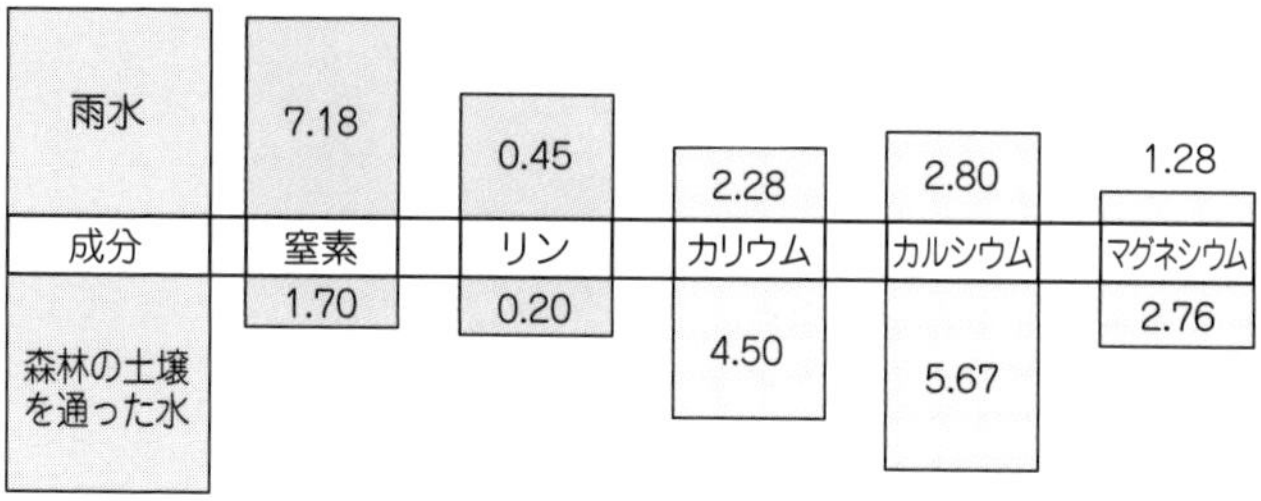

成分	窒素	リン	カリウム	カルシウム	マグネシウム
雨水	7.18	0.45	2.28	2.80	1.28
森林の土壌を通った水	1.70	0.20	4.50	5.67	2.76

単位：kg/ha(年)

図 2-3　雨水と森林の土壌を通った水に含まれる物質の収支
（出典：IUFRO 1981）

つまり森林が育つ土壌では地面がスポンジのように雨水を吸収して、一時的に水資源として貯留し、徐々に河川へ送り出していくのです（図2-2上）。またその土壌には、洪水を緩和する力もあります。図2-2下をご覧いただくとわかりますが、森林の土壌には裸地の実に三倍、草地の二倍の雨水を浸透させる能力があるといわれています。結果、「降雨時における川の流量のピークを低下させたり、ピークの発生を遅らせるなどの働き」（林野庁HP「水を育む森林のはなし」より）をするのです。

　さらにこのような土壌のはたらきにより、森林からは、濁りが少なく、適度にミネラルを含み、中性に近い水が流出してきます。つまり水質を浄化する機能があるのです。それは、図2―3のグラフからもわかります。

もともと「涵養」という言葉には、自然に水が浸み込むように徐々に養い育てていくという意味があり、一朝一夕ではなく、長い時間をかけて水源としての機能を育んでいるのです。

森林に降った雨は、すべてが河川に流れ出ていくわけではなく、樹木の葉や枝や幹、落ち葉や落ち枝の表面に付いた後、地面にとどかずに蒸発するものもあります。いったん地面に浸み込んでも、ふたたび地面から蒸発する水や、植物の根に吸い上げられて葉から蒸散する水もあります。このように大気にかえっていく水の割合は、日本の林地では平均すると降水量の三〜四割になるといわれています。

風を防ぐ力

続いて風を防ぐ役割について説明をしていきます。風害から田畑の作物、村落などを守る森林のことを防風林といいます。風や飛砂による作物や家屋の損傷、土壌の風食（地表面の低下）を防ぎ、温度や湿度を調節する役割もあります。

防風林は内陸部の田畑の作物を保護するための「内陸防風林」と、海に面する地域で暴風や潮風、飛砂を防いで災害防止と暮らし環境の改善に大きなはたらきをする「海岸防風林」の二つに大きく分けられます。林帯の幅は、内陸防風林は一〇メートル以上、海岸防風林は一五〇メートル以上が必要であるとされています。樹種は、成長が早く深く根を張り、風にも強い常緑樹（四季を通じて常に緑葉を保っている樹木）が用いられます。

内陸防風林では、北海道中標津町、別海町などにまたがる格子状防風林が、一辺の長さが約三〇〇〇m、幅一八〇m、総延長は六四三㎞という壮大なスケールをほこり、スペースシャトル・エンデバーに搭乗した毛利衛氏のカメラにくっきりと映し出されたという逸話もあります。北海道のこの地域に住む友人によれば、木の高さや林帯の幅などの防風林の構造と、吹き付ける風の速度を考慮することで、防風の範囲や効果が予測できるそうです。現地で

はこの内陸防風林にちなんだ銘菓「防風林」があるそうで、うす焼きアーモンドの甘いキャラメルクッキーで、木の葉の形が作られています。

海岸防風林は、全国に見られます。毎年のように台風が襲来する沖縄県では、サトウキビをはじめとする農作物の安定的な生産を確保するために、耐風性の高い常緑樹を防風林として植えています。宮古（みやこ）島平良（じまひらら）地区では、生垣（いけがき）にツバキを防風林として植栽し、北風や塩害から守った結果、農作物の生育が良くなりました。またツバキの実を利用した実や油が、地域の活性化に活かされていると聞いています。

都会では、高い建築物やビルの間に強く「ビル風」が吹くことから、防風のために建物周辺に樹木を植栽します。この防風のための樹木には、主として高木の常緑樹が選定されています。たとえば、クスノキ、シラカシ、スダジイ、マテバシイ、ヤマモモ、モッコクなどがよく利用されています。

このところ、夏になると毎年のように、「ゲリラ豪雨」という言葉を耳にします。近年では都市部を中心に集中的に雨量が増加する傾向にあるといわれています。また地方では、台風などの影響による豪雨で、河川の氾濫(はんらん)や土砂崩れの危険が高まります。森林には、そうした災害を防ぐはたらきが備わっています。林内では、樹木や植物の根が、土壌をつなぎとめているからです。ある研究では、地面がむきだしの裸地は、樹木で覆(おお)われている林地と比べて、約一五〇倍の土壌が流出するという結果が出ています。

その他に、森林が海岸の津波被害を軽減するなど、適切な森林管理が自然災害から地域を守ることが知られています。前述したように森林には、降った雨を土壌中に貯(た)める機能があるため、河川への水の流入量が急激に増えることを防ぎ、洪水の発生防止にも貢献しています。

温暖化を抑止する力がSDGsを実現

みなさんは、SDGsという言葉を聞いたことがありますか。国連が持続

図 2-4　森林資源を必要とする南アジアの人々（筆者撮影，2015 年）

可能な開発目標としてかかげた一七の目標のことです。その一三番目に「気候変動に具体的な対策を」と一五番目に「陸の豊かさも守ろう」という目標があります。この目標を達成するために、森林はとても大きな役割を果たすことができます。

そもそも地球温暖化の原因は、大気中に存在する二酸化炭素などの温室効果ガスの濃度が高まることだと考えられています。地球温暖化を少しでも防ぐためには、大気中への二酸化炭素放出を減らす必要があります。

地球上の二酸化炭素の循環では、森林はその吸収源として大きな役割を果たしています。

ＳＤＧｓの視点でもう一つ付け加えると、海外において森林は、人々のセーフティネット(安全網)にもなっています。「ミレニアム生態系評価」(国連の提唱により二〇〇一〜二〇〇五年に行われた地球規模の生態系に関する環境アセスメント)によれば、森林生態系に直接依存する人々(とくに貧困層)は世界で二〇億人に達するといわれています。世界の人口が二〇二二年に八〇億人を超えたことを考えると、約四人に一人が森林に依存して暮らしているといえます。

東南アジア諸国をはじめとする開発途上国では、森林の多面的機能のうち、とくに物質生産機能に直接依存している国が比較的多いのが現状です。それらの国々では、地域の人々が森林とともに生活していて、森林が暮らしの中で必要とされています。写真は、その一例です(図2-4)。彼女たちは、森に入って、燃料となる薪や家畜のえさとなる林産物を取りに行っています。そうした恩恵も受けつつ、一方で植林をし、森林を守るために地域の規則をつくったりということを村全体で行っています。

大きな役割・小さな役割

ここまで見てきたように、森林には、土を留めて水を蓄える、二酸化炭素を吸収し酸素を放出する、生き物のすみかとなる、植物を養う、木材を作る、自然災害を防ぐなどの重要かつ、大きな役割とはたらきがあります。木材や食べ物の生産機能など森林の多面的機能は、私たちの暮らしにとって、これまで以上になくてはならない存在になっています。とりわけ最近は、生物多様性が失われ、気候変動への影響という地球規模の問題が取り上げられることが多いですが、これらに対しても森林の果たす役割がクローズアップされています。他方では、森林の果たす小さな役割やはたらきも見逃せません。

その一つが、「レクリエーションの場」という役割です。先に紹介した森林浴をはじめ、ハイキングやキャンプなどの場として、私たちに安らぎや癒しを与えてくれます。そうした目的のために森を訪れる人も、コロナ禍(か)を経てさらに増えているといわれています。

そしてもう一つ、生物多様性にもかかわってきますが、森林は、生き物の生育の場としての役割も担っています。樹木や草、コケなどの植物や菌類、土壌微生物、昆虫、鳥、爬虫類、哺乳類など、多様な生き物がここで暮らしています。

森の整備、そして保全

多様な役割を果たしている森林ですが、実際には人の手を入れ育てていく必要があります。人の暮らしの近くにある森林は、とくにそうすることで、森林の多面的機能の役割を十分に果たすことができるのです。

ところが前の章で書いたように、日本では、林業の停滞により、人の手が入らなくなって荒廃した場所も少なくありません。

私たちはどうしたらいいのでしょうか？　まずは、人の手を確保することが必要です。森の仕事に従事して、森の整備をする人、そう、「フォレスター」を集めることです。

森を守る人「フォレスター」の存在

林業に従事している人の数（林業人口）は、現在どれくらいいるか想像できますか？

図2-5をご覧ください。林業従事者（以下、フォレスター）は、減少度合いは小さくなっているものの、ピーク時に比べ総数はかなり減ってきていることがわかります。主な理由は、外国の木材との競争で国内の木材の値段が安くなったことです。つまり、働いても利益につながらないのです。とはいえフォレスターになる若い人は微増していますが、それを上回る比率で高齢化が進んでいることも図からわかります。

さて、みなさんは、林業と聞いてどんなイメージを持ちますか？

みなさんから出てきた言葉が、「大変そう」「危険そう」「あまり人気がなさそう」だとしたら、マイナスイメージが強い職業として見ているといえそうです。「大変」と思うところを、掘り下げてみましょう。

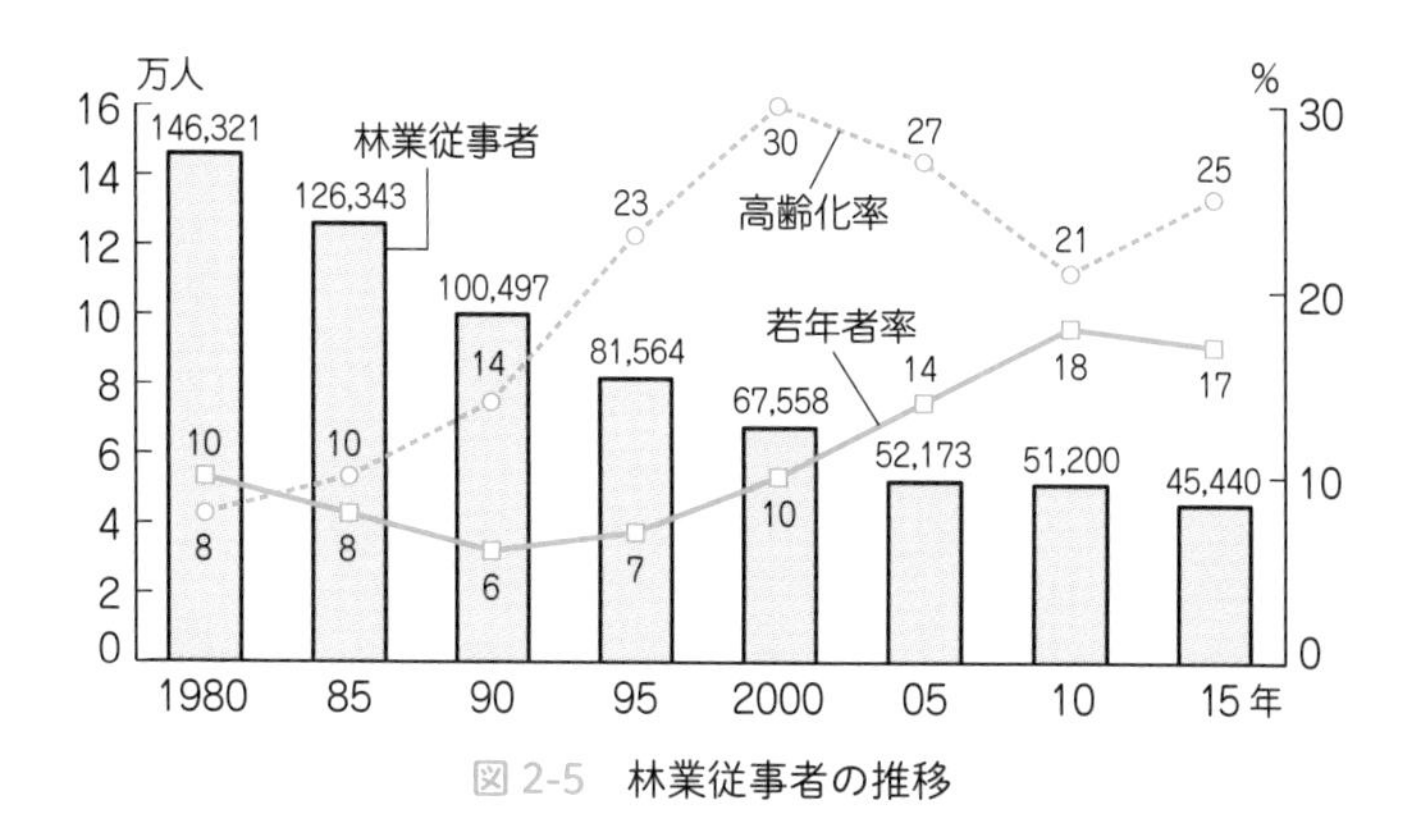

図 2-5　林業従事者の推移

たとえば「大変そう。だって山のきつい斜面で木を伐ったり、重たい木を運んだりする」「気をゆるめると大きな事故につながる」等々こんな声が聞こえてきそうです。「大変っていえば、お金にならないのもそうかも……」。しかも「木を植えてから伐り出すまでに数十年以上かかる」ことも忘れてはいけません。

でもこの大変さが、林業の大切さ、多面的機能を守るはたらきにつながっていると考えられます。けれども、そうした大変さのせいで、フォレスターがさらに減少することになれば、私たちの暮らしは、どうなるのでしょうか。

想像してみてください。日本の木が育たなくなる、木材製品が作れなくなる、災害が大きくなる、環境に影響が出るなど、多様な問題が噴出してきそうです。とくに日本は国土の約七割が森林ですから。

私たちは果たして森を守ることができるのでしょうか。

緑を守る「緑の雇用」作戦

まず森を守る「フォレスター」を増やさなくてはなりません。そうすれば、林業での生産性を上げることができそうです。でも、そう簡単に人を増やすことができるでしょうか。今、フォレスター人口の増加を目指して国(政府)を中心に「緑の雇用」という事業が始まっています。森での仕事経験がなくても、林業に就いて、技術を学ぶことができます。緑を守るための雇用ともいわれ、二〇〇三年から林野庁により「緑の雇用担い手育成対策事業」として開始されました。

「林業を仕事にするということ」というキャッチフレーズで、「緑の雇用」

のサイトは始まっています。

森林の仕事は、一人前になるのに三〜五年はかかるといわれています。研修を受けると、専門的な内容が毎年蓄積され、いろいろな技能を身につけられるよう、体系的なプログラムが用意されています。

そして今では、全都道府県の林業労働力確保支援センターなどで、林業の仕事をしたいみなさんからの相談を受け付けるまでになっています。さらに「林業就業オンライン相談」のサイトでは、林業による働き方から暮らしのことまで相談できます。

林業を仕事にするフォレスターは、「空気がきれいな場所で働きたい」「体を動かすことが好き」「ふるさとの自然を守りたい」「田舎暮らしがしたい」といった気持ちがある人にお勧めです。

先にも書きましたが、日本の森は、戦後に植林された木が育ち、利用できる段階にきています。しかし、森林の手入れが遅れがちになっています。そうした現状を解決するだけでなく、先人の残してくれた森林を次の世代につなげるために、若い「フォレスター」の存在が必要です。この本を読んで、手を挙げる人が増えるといいなあ、と私はひそかに願っています。

林業女子・林業男子

「フォレスター」をはじめ、林業は男性の仕事だと思う人も多いのではないでしょうか。

二〇一四年に、林業の世界を描いた映画『WOOD JOB!（ウッジョブ）～神去（かむさり）なあなあ日常～』が公開され、林業に関心・興味を示す人たちが増加しました。また同年、山﨑真由子さんによる『林業男子』（山と溪谷社）という本が出版され、林業・木材業界で活躍するプロフェッショナル&その卵たちの姿が紹介されました。ここには「女性パワーで旋風を巻き起こすヒト」も描かれていて、「林業ガール」として働く女性たちのパワーを伺い知ることもできます。

今や全国各地で「林業女子会」が開催され、「森」や「木」というテーマのもとに、様々なフィールドに属する女性が集結しています。現在、京都や東京など、二六拠点で活動が展開されています(二〇二三年一月現在)。

筆者は「林業女子会@東京」のメンバーです。最近は幽霊会員ではありますが、会の活動について知っているので、説明しましょう。

会には「林業に興味がある」「木が好き」なメンバーが集まっています。また気軽に参加できるようになっています。メンバーは、社会人としてバリバリ仕事をしている人や、学生や主婦など幅広く参加しています。さらに、林業はまだまだ知られていないので「林業ってそもそもなに?」「日本の森っていまどうなっているの?」ということを多くの人に知ってもらうことが、大事だと考えてこの会は活動しています。結果として、地域の森林や林業の活性化にもつながればいいと思っています。

二〇一二年の東京拠点の創設時からのメンバーの糸川結花さんと、二〇一八年から会をリードしている山北絵美さんに、活動のポイントについて尋ねてみたところ、次の返事がかえってきました(二〇二三年一月現在)。

「地元の森林ボランティアである『ふれあい千葉』と合同で里山整備を行

い、安全第一で、楽しい作業を目指しています」「森活動の内容は、下草刈りや間伐(かんばつ)などがメインで、実際に林業の一部を体験することができます」「またタラの芽やアケビなどの山菜取り、クリや柿、シイタケを栽培して収穫したり、クロモジのお茶を飲んだり、珍しい植物を観察したりという〝お楽しみ〟を入れることもあり、様々な森の楽しみ方に触れることができます」とのことです。

「首都圏の「あまり森林とかかわる機会がないけど興味がある」「興味があるけどどうかかわっていけば良いかわからない」というような方々に、まず森と触れ合い、いろんな人と話す中で、かかわり方を見つけるきっかけになってくれたらなあと考えています」とメッセージをいただきました。

さらに、京都で最初に林業女子会を立ち上げた井上有加さんは、「林業女子会ポータルサイト」で、林業女子への想いを次のように書いています。

「いつも「暮らし」の目線を持って、林業への敷居を下げ、入口をつくり、山と都会がお互いに豊かになるためのインタープリター(通訳)を目指します。

（略）林業女子は、一〇〇年先を考える余裕の女子♪　わたしたちの子どもや未来の世代まで、自らが素敵だと思う森林と人間との付き合い方を伝えていきます」

林業女子会メンバーたちの話から、林業の見え方が変わってきたのではないでしょうか？　森林へのかかわり方は人それぞれで、多様な接し方・アプローチもできそうという気もしてきませんか？

必要なのは有効活用

では、この本の主な読者であるジュニアのみなさんは、森や林産物をどのように利用したらいいのでしょうか。簡単にできそうなのが、「レクリエーションの場」としての利用です。

内閣府の「森林と生活に関する世論調査二〇一九」が参考になりそうです。心身の健康づくりのための森林散策やウォーキング、ランニングや自転車などのスポーツ、音楽鑑賞や芸術鑑賞などの文化的活動、自然を活用した活動などが挙がっています。

もちろん、根本的な解決にはなっていませんが、森を身近に感じ、できることから活用することも大事です。

国産木材の利用量を増やすアイディアを出してみよう！

学校や自由研究などの探究活動にも役立ててください。では、実際にどんな利用方法と活用のしかたがあるかを、Q＆Aの形式で考えてみましょう。


Q1）国産木材の利用量を増やすために、どんな取組ができますか。

A1）『間伐材マーク』のついた商品を探して使ってみよう！」じっさいに、どんな商品があるか、調べてみましょう。

Q2）木について、また森林を守るためにもっと知りたくなったら？

A2）たとえば東京おもちゃ美術館（新宿区）に遊びに行ってみるのはどうで

しょう。来館者は、そこで木でつくられた多種多様なおもちゃに出会うことができます。実は、この美術館、選び抜いた木のおもちゃを各地に運び、子どもたちが直接、おもちゃに触れ合える機会(木育キャラバン)も設けています。また、子どもにかかわる専門家が集まって小中学生向けに開発した「木育プログラム」もあります。これは、木材についての授業と森林での間伐体験、さらに木工体験を組み合わせたもので、多くの学校で実施されています。こうした機会を利用することで、森林を知り、また森を守るアイディアも浮かぶかもしれません。もっと知りたい人は、林野庁が中心になって取り組んでいる「木づかい運動」も参考になるので調べてみてください。

Q3) 「ウッドデザイン賞」って何ですか?

A3) 政府広報のHPには「消費者目線で、木の良さや価値を再発見させる製品や取組について、とくに優れたものを表彰するもの」とあります。二〇一五年に始まり、地域の材を利用して、大きなものでは、内装に地元の木材を使った観光列車、小さなものでは文具や玩具など、暮らしを彩る製品や木を使うことで地域や森林を活性化する取組などが見られます(https://www.wooddesign.jp/)。この賞をきっかけに、多くの人が木のある生活に関心を持ってくれることを願いますし、さらに木材の利用が進んでいってほしいと思います。

図 2-6 秋田杉で作られた曲げわっぱ(写真提供:大館工芸社)

こうした商品以外にも、日本では、生活のいたるところで木が使われてきました。

「曲げわっぱ」と呼ばれるお弁当箱(図2-6)を紹介しましょう。中でも有名なのが秋田杉で作られた「曲げわっぱ」です。これは「曲げ物(まげもの・わげもの)」といわれ、スギ・ヒノキなどの薄く削り取った材を円形に曲げ、合わせ目をカバ・サクラの皮などで綴(と)じて作った容器を指します。昔から利用されてきた「曲げわっぱ」は、通気性が良く、優れた抗菌力を持っているといわれています。さらに高い保温性も備えています。そのため夏はご飯が傷みにくく、冬はお弁当を冷めにくくしてくれます。木製のお弁当箱は、水分を調整できるので、美味しさも保つことができます。

かつてはどこの家庭でも利用されていたお櫃も、そうした木の持つ特性を利用したものです。

図 2-7　折箱（写真提供：全国厚経木問屋組合）

また、経木を箱に加工している会社があります。横浜で有名なシュウマイが入っている箱、といえば思い出す人も多いのではないでしょうか。経木とは、木材を薄く削り取った木の板のことで、「日本の包装加工の起源」ともいわれています。元々は、経文（お経）などの文字を書くために利用されてきましたが、その後容器の材料としても利用されるようになりました。材料には、主にエゾマツが、その他にスギ・ヒノキなどが利用されています。その会社では、一枚の経木に筋を入れ、折り曲げて枠を作り、下部に底板を付ける事により、「折箱（おりばこ）」を完成させています。このように一枚の板から枠を作り上げる折箱という技術は「世界に類のない日本固有の食品容器」といえます（図2-7）。

利用量を増やすアイディアは他にも！

国産木材の利用量を増やすアイディアは、政策としても取り組まれるようになってきました。各地で広がりつつある三つの取組について説明します。

（1）公共建築物にもっと「木」を使おう

二〇一〇年一〇月に施行された「公共建築物等における木材の利用の促進に関する法律」によって、国や地方自治体が木材利用を積極的に進めるようになりました。結果、各地で木材を使った公共建築物などが増えています。

そうした動きの中で、ちかごろでは、CLT（Cross Laminated Timber）という工法が注目され、それを利用した木造建築も国内外で増加してきています。

（2）「木」をエネルギーとして利用する

3章でくわしく述べますが、再生可能エネルギーの一つとして、利用されない間伐材や住宅を解体した際に出る木材などを使った「木質バイオマス」の活用も進んでいます。木材を化石燃料の代わりに利用することで、二酸化炭素の排出を抑えることができるのです。また住宅解体材などを上手に利用することができれば、廃棄物の削減にもつなげることができ一石二鳥なのです。

（3）国内の木材を世界へ

木材需要を増やしていくために、ここ最近の日本では、木材の輸出促進に取り組んでいます。木材の輸出額は年々増加しており、二〇二一年の輸出額は四七五億円、品目別では丸太が輸出額の半分近くを、輸出先国別では、中国・韓国・フィリピン・台湾で全体の八割を占めています（林野庁ＨＰ「木材輸出の状況」）。今後、さらに輸出を拡大していくためには、付加価値の高い木材製品をつくるとともに、新しい輸出先国の開拓が必要です。

日本の森を守り、森林の資源を蓄積していくためには、やはり林業を産業として成立させることが重要です。利用し、活用して、さらに利益を生むしくみにする必要があるのです。

3章では、その問題に取り組む事例をもとに未来を考えていきます。

外観に木材を使用した建物

コラム③　木と暮らす

私は、二人の子どもを出産したそれぞれの年に、購読していた地域の新聞店から梅の苗木(なえぎ)をいただきました。上の子のときにいただいた梅の苗木は、千葉県内にある夫の実家の庭に、そして二人目のときにいただいた梅の苗木は、愛知県内の私の実家の庭に植えました。

千葉県内に植えた梅の木は、二〇二三年で二七年目を迎えました。木の高さは、大人になった上の子の背丈(せたけ)をはるかに超えて大きくなりました。そして、毎年、たくさんの実をつけてくれます。

二〇二二年は豊作ではありませんでしたが、それでも少ないながら収穫することはできました。その梅の実を洗って、ヘタをとり、大きな瓶(びん)で梅酒と梅ジュースを仕込みました。レシピは、各家庭によって違うでしょうが、我が家では梅酒用にはホワイトリカーと氷砂糖を梅がひたひたになるくらいに入れて漬け込みます。梅ジュースは氷砂糖と梅を交互に入れ、酢を加えてつくります。来年には、黄金色に輝く梅酒や梅ジュースをいただけることでしょう。今から楽しみにしています。

梅 林

さて愛知県内に植えた梅の木は、実の収穫が期待できるようになった一〇年目に、突然、枯れてしまいました。枯れた原因は不明ですが、過去にも庭で育てていたイチジクやザクロなどの実がなる木が枯れたことがありました。害虫かもしれませんし、病気の可能性もあります。いずれにしろ実のなる木を植えて成長させるには、いろいろ気を使う必要があります。害虫がいればとうぜん駆除が必要になってきますし、また、病気になれば、それに伴う適切な処置をしなくてはなりません。そのためには、注意深く木の様子を見ながら判断することが欠かせません。

その後、梅の木の後継として、ブルーベリーの木を植えました。そちらは、すくすくと大きくなり、実をつけるところまで成長しました。また時期を同じくして、自宅のマンションのベランダにレモンの木を植えました。そちらも順調に育ち、二〇一九年には五個のレモンを収穫しました。こちらもレモネードにして、さっそく頂きました。

庭がなくても、このように木と暮らすことはできます。そして果実を収穫して飲んだり食べたり、いろいろな方法で楽しむことができます。

3 これからの森の使い道

国産材を使う利点は、荒れた山の林地に手が入り、健康な森を育てることにつながることです。それは地域住民を災害から守り、国内外の森林を豊かにすることで、多くの地球環境の課題が解決するきっかけにもなります。2章でもくわしく述べたように、森林が持つ「多面的機能」や「公益的機能」は、私たちの暮らしや社会に有益な影響をもたらします。

では、どんな森の活用法が始まっているのでしょうか。福岡県内はじめ、筑後川流域からの木材が集まる吉弘製材所を訪問しました(図3-1)。ここの木の使用方法から、現在の木材の有益な使われ方を見ていきます。

国産木材の使い道

一つには公共建築物などの木造化・木質化が挙げられます。たとえば二〇二一年に開催された「東京二〇二〇オリンピック・パラリンピック」では、全国各地から調達された木材がふんだんに利用されました。木材使用量をランキングで表すと、次のようになっています。

一位が有明体操競技場（約二六〇〇㎥）（図3-2）です。屋根には鉄骨を利用せず、木の梁が採用され、世界最大級の全長約九〇メートルの木造のアーチが屋根を支える構造となっています。競技エリアの天井は国産の北海道および長野産のカラマツ材から成っています。格子状の木材と屋根にはり付けられた黒い吸音材が特徴的な天井は、多くの人から感嘆の声があがりました。

図 3-1　吉弘製材所（福岡県久留米市）では地域材を活用（2022 年，筆者撮影）

二位は、国立競技場（約二〇〇〇㎥）です。こちらは木材を利用した軒庇と屋根が魅力的です。

そして三位は選手村ビレッジプラザ（約一三〇〇㎥）です。この建物には、国内の六三自治体の木材が使用されています。

図 3-2　随所に木の温かみが感じられる有明体操競技場(写真提供:共同通信)

公共建築物の木造化には、「公共建築物等における木材の利用の促進に関する法律」(二〇一〇年)が後押しをしています。この法律により、木材利用に関する方針等が定められ、木材を使った公共建築物が増加しました。市役所、学校、駅舎など、全国の至るところに、木造建築物が出現しています。

文科省の「公立学校施設における木材の利用状況に関する調査結果」によると、「令和三年度に新しく建築された全ての学校施設六九〇棟のうち、五二〇棟(七五・四%)が木材を使用」とあります。さらに同年度に新しく建築及び改修を行った学校施設では、「四万八一八五㎥の木材を使用。うち、一万三八一八㎥(二八・七%)が木造施設で、三万四三六七㎥(七一・三%)が非木造施設の内装木質化等において使用」となっています。校舎の内外で木が利用されていることがわかります。

二つめは、木質バイオマスエネルギーとしての利用です。木質バイオマスは、二酸化炭素の排出抑制と地球温暖化の防止、廃棄物の発生を抑制、さらにエネルギー源を多様化することにより発電リスクを下げるため、おおいに注目されています。また木質バイオマスは、林業再生・森林再生を図るだけでなく、地域分散型のエネルギー源の一つとして、地元経済の活性化、所得の向上にもつながると期待されています。

木質バイオマスの素材としては、「樹木の伐採や造材のときに発生した枝、葉などの林地残材、製材工場などから発生する樹皮やのこ屑などのほか、住宅の解体材や街路樹の剪定枝など」(林野庁HP)があります。現在、製材工場から出てくる残材や、住宅の解体などによって発生した木材は、木質バイオマスとしておおいに利用されています(図3-3)。どれも利用しなければただの廃棄物ですが、有効に活用することで、廃棄物を減らし、循環型社会の実現にもつながります。

また、木材のエネルギー利用は、大気中の二酸化炭素濃度に影響を与えな

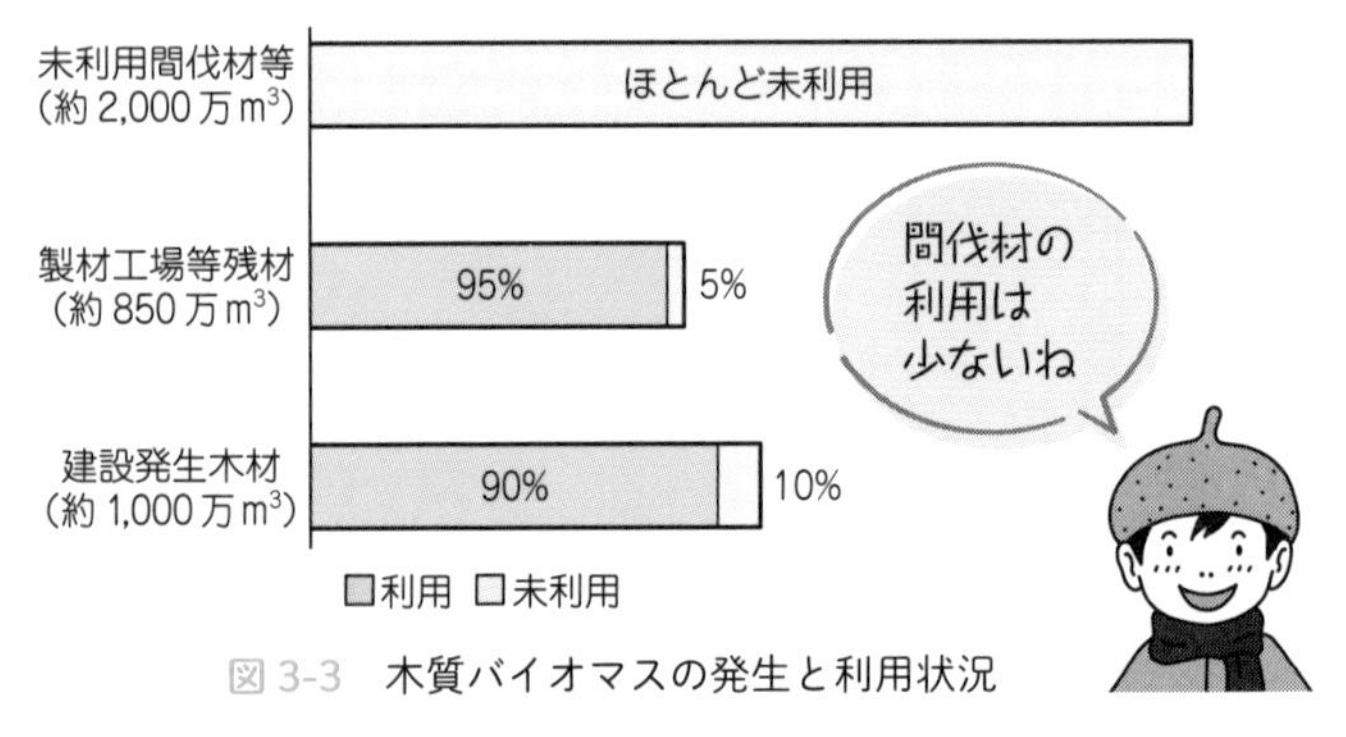

図3-3　木質バイオマスの発生と利用状況

い、というカーボンニュートラルな特性を有しています。化石燃料の代わりに木材を利用することで、二酸化炭素の排出を抑制することができ、地球温暖化防止につながります。

しかし図3-3を見ると、約二〇〇〇万㎥もの間伐材(かんばつざい)などが未利用のままであることがわかります。木質バイオマスの利用拡大には、この放置されている間伐材などの利用がカギになってきます。

いまの日本は、エネルギーの供給の多くを輸入された化石燃料に頼っています。エネルギー源の多様化、発電リスクの分散という意味からも、木質バイオマスエネルギーの利用を広げていく必要があります。日本全体のエネルギーの需要は膨大で、木質バイオマスだけですべてまかなうことはできませんが、貴重な国産のエネルギー源として利用する価値はおおいにあるといえます。地元の森林、そして放置されている間伐材などの利用も含め、地域の活性化と仕事づくりにつなげた具体例を次に紹介いたします。

【事例】 北海道・占冠村(しむかっぷむら)での新しい仕事場づくり

北海道のほぼ真ん中にある占冠村は、自然に恵まれたのどかな地域です。面積は、東京二三区とほぼ同じ広さ(約五七一㎢)で、その九四%が森林で占められています。人口一人あたりの森林面積が道内一位の自治体で、農業と林業が村のメイン産業です。

二〇〇八年にアメリカで起きた「リーマン・ショック」による金融危機は、占冠村にも大きな影を落としました。それまで地域で推進してきた公共事業やリゾート開発が停滞してしまったのです。スキーや登山の観光客の減少とともに、仕事も減り、村の人口が最盛期の四分の一程になってしまいました。

高齢者の割合も高くなり「このままでは村の存続さえ危うい。一日も早く対策を練らなければ」と危機感を抱いた占冠村役場農林課では、公共事業などに頼るのではなく、地域の自立を目指す方向に舵をきることにしました。そして地域の資源である森林に目を向け、二〇一二年に林業振興室を組織して、林業・林産業の生産体制やしくみの見直しに着手しました。具体的には木質バイオマスの燃料としての活用に取り組むことにし、産業の好循環をつくる行動を始めました。

　村では、年間二〇〇〇㎥も木材が伐り出されていましたが、その中には建材や資材に適さない未利用材や低位材(利用するためには価値が低い木材)が含まれていました。これまでは活用することなく捨てていたそうですが、それをやめて薪を製造して、村内の燃料として活用することにしたのです。村役場を中心に取り組んできた「エネルギーの地産地消」事業ですが、「今後の活動は行政だけでは無理。村内の企業の方々にこの取り組みの推進母体となる組織をつくってもらう」ことにしました。そして二〇一三年一一月に

「占冠村木質バイオマス生産組合」が誕生しました。

さらに林業振興室や生産組合のメンバーは、薪をよりよく利用していくために、ボイラーや薪の供給先についても調査を始めました。まずは村営の施設「湯の沢温泉　森の四季」に初の薪ボイラーが導入されました。その後、村営スキー場ロッジ、道の駅、保育所などにも薪ストーブが設置され、占冠村産の木質バイオマスの利用が増えてきています。

木材販売量は、二〇一五年度には二七〇㎥の木材が使われて、その後減少し、二〇一七年度には一五〇㎥まで減ったものの、二〇二〇年度には、二五〇㎥まで回復しました(一㎥(立方メートル)とは、一m×一m×一mとなります。二五〇㎥とは、二五mのプールで一mのコースが一〇本、一mの水深の水量をイメージしてみましょう)。

村役場では、薪ストーブを購入した村民に対し、補助金の支給を開始しました。あわせて薪の購入にも補助金を支給しています。その利用では、二〇一八年度までは湯の沢温泉が約六割以上を占めていたそうですが、灯油との価格競争によりバイオマスが有利に働き、二〇二〇年度は温泉向けが三割、家庭向けが四割と利用者が増加、なんと村外の利用も約二割あるとのことでした。そのヒミツは補助金だけでなく、よく乾燥させた薪の品質が好評とのことで、今後も薪の質の向上に取り組んでいくそうです。

それまで利用されなかった未利用材や低位材が、企業や家庭につながる自然エネルギーの循環をつくり、雇用の場を創出し、村内で完結する経済の連携を育んでいます。

占冠村林業振興室の担当者は、「村の原材料が村内で利用されることで、資金が村内で循環するとともに、新しい雇用が生まれています。これからも薪を核とする木質バイオマスのエネルギー利用を進めていきたいと考えています」と語ってくださいました。

このほかにも、全国の林業がさかんな地域でバイオマス発電事業が広がっています。

（参考資料：https://kurashigoto.hokkaido.jp/report/20161005100000.php お

よび北海道林産技術普及協会「ウッディエイジ」二〇二一年九月号をもとに筆者がまとめなおしたものに、取材でのやり取りを追加）

よみがえらせよう！　森利用のサイクル

経済的な活用方法について新たな模索も進んでいます。安価な外材におされていることに加え、「木を植える↓育てる↓木を伐る↓また植林する」のサイクルのままでは、国内で木材が増えるばかりで、価格が上がらないからです。

「新たな模索」とは、前述のサイクルに「上手に使う」を取り入れる試みです。具体的には、伐採した木を丸太のままや製材加工品、合板などに加工して販売をくりかえすことで、生まれた収益を再び植林や作業費用に充(あ)てられるようにするのです。「上手に使う」ことを取り入れた新しいサイクル「Good Use Cycle」の実践は、貴重な森林資源を活用し、地球環境の保全にもつながります。

この新しいサイクルを運用している企業の一つが、竹中工務店です。国内の木材需要の四割が建築分野で占められていることに着目し、「林業活性化↓森林資源循環↓地域振興↓まちづくり」の循環を事業として立ち上げました。木造の建築物を増やし、景観に配慮したまちづくりに貢献することで結果的に木材需要を高め、林業地域の活性化を図るサイクルをつくっています。

日本の木材や森の資源を、さらに利用するサイクルを創出することはできないでしょうか。

利用するサイクルを創出

①木材輸出を促進する

木材需要を創出するために、国産材を「日本ブランド」として海外に輸出して、世界のマーケットを開拓する動きがあります。

前章で触れたように日本の木材の輸出額は年々増加していて、二〇二一年の輸出総額は四七五億円にもなりました。

今後はより付加価値の高い木材製品を作り、さらなる輸出拡大と、新たな輸出先国の開拓に向けた取組が望まれます。

②国産材を使ってエコを広める

国産材の利用は、資源の無駄遣(むだづか)いを防ぐことにも通じます。つい安さに目を奪われがちな輸入材ですが、輸送にはエネルギーも使っています。建築時に、地域の木材(地域材)を使用すれば「地産地消」になりますし、そもそも地元の木材は、その土地の風土に適していて、住宅に使うと住み続けるのに最適と言われています。さらに雨が多い日本では、湿気に強い国産材を使うのが理にもかなっています。しかも湿度が少ない日には、湿気を放出します。また、輸入された木材と違って輸送にかかる時間も費用も少なくてすむので、シックハウスの原因となる防虫剤や防腐剤を使う必要がありません。

しかも木には見た目の美しさとリラクゼーション効果があり、様々な用途に使うことで人の気持ちを落ち着かせてくれます。日本の風土に適している国産材を使えば、結果として日本の山を守ることができます。

③木でできた建物の特性

みなさんの住んでいる家は、木造住宅、鉄骨造住宅、または鉄筋コンクリート造の住宅のどれでしょうか?

木造住宅とは、主要な部分に木材を用いて造られた住宅です。日本では神社仏閣を含めた数多くの建物に古来より用いられている工法で、住宅としても最も一般的で、普及性の高い構造形式といえます。他の構造形式に比べて比較的安価に建てられるほか、間取りの自由度が高く、リフォームや改装などがしやすい特徴があります。さらに鉄やコンクリートなどと比較して、吸水性・吸湿性が高く、気温や湿度が季節により大きく変化する日本の風土に合った素材であると考えられています。

しかも木は、鉄やコンクリートに比べて熱を伝えにくいという特性を持っています。木材(スギ)の熱伝導率(ねつでんどうりつ)を一とするとコンクリートは約一三倍、鉄は約四五〇倍という調査結果があり、木材が高い断熱性能を有していることがわかります(https://selcohome.jp/spec/feature.html)。

また木は、音をバランスよく吸収するという特性があります。音響効果を大切にするコンサートホールなどに木造建築が多いのは、その特性を有効に活用しているからです。

さらに木の香り(フィトンチッド)の中には消臭や防ダニ・殺虫・抗菌・抗カビなど、様々な作用があることが実証されているほか、リフレッシュ効果もあります。また、木は人体に有害な紫外線を吸収し、目や肌に受ける刺激を少なくする特性を持ちあわせています。木材利用は、学校の校舎などの教育施設の調査において、みなさんのストレス緩和、集中力の向上、インフルエンザやケガの抑制などの効果があるといわれています。木造の建物は、健康にも優しい建築物です。

木でできた家やビルは、柔らかさ、温かみは人の気分を和らげてくれる沈静作用があり、安らぎと心地よさにより、快適な癒(いや)しの空間をもたらしてくれます。

④木の床（フローリング）を歩く

部屋の床や廊下など、木のフローリングが敷かれている場所を歩いたことがあるでしょうか。フローリングの上を素足で歩いてみると、独特のずっしりとした安定感と、硬すぎず柔らかすぎない、適度に衝撃を吸収するような、やさしい踏み応えを感じると思います。

フローリング材を扱っている（株）マルホンさんへ取材に行きました。ショールームでは、様々な色、硬さ、木柄の木材が並んでいて、魅了されます（図3-4）。

無垢木材（天然の木から採れる一枚の板）のフローリングでは、夏場はさらっとした感触、冬場は木本来のぬくもりを感じることができます。コンクリートなどと違って、人肌のような温かさを感じるのは、さきほどの、熱伝導率が他の建材よりも格段に小さい値だからという理由によります。この会社では、無垢木材を扱っています。無垢材は、厚み方向に貼り合わせがなく、余分な手を加えていないので、人工的に作られた木材（集成材や新建材）にはない、自然の性質を活かしやすいそうです。

さらにマルホンさんでは、ＰＥＦＣ森林認証プログラムやＦＳＣ（森林管理協議会）により認証され、環境保全に関して責任を持って管理された森の木材（認証材）を調達して、フローリング材を作っているそうです。

⑤木造の高層マンションに住める日

マンションといえば、鉄筋コンクリート造の建物をイメージしますね。最近は木造でも耐震性や耐久性、耐火性などを確保できるようになり、戸建の家だけでなく、マンションやアパートでも木の良さが見直されています。

前述したように最近ではＣＬＴという、繊維方向が直交するように並べて重ね、接着した板を使った、中・高層や中・大規模の木造建築物が国内

図 3-4　マルホンさんのショールーム．様々な色，硬さ，木柄の木材が並んでいる（2021 年，筆者撮影）

外で増加しています。二〇二〇年に、野村不動産が日本初の木質系構造部材を使った高層マンションを建てました。そのマンションでは、柱や壁などの構造部や内装材にも国産木材を使用しています。高い耐震性を確保すると同時に、鉄筋コンクリートに比べて軽量で、コストダウンが図れるというメリットがあります。

アメリカやカナダ、ヨーロッパの国々では、木造による高層ビルやマンションなどの建築が法律で認められ、建設が始まっています。

木造の建物に暮らすことの利点について、もう一度確認しましょう。

①内装の木質化を高めた部屋は、リラックス効果により良質な睡眠をもたらす
②スギなどの針葉樹には血圧低下の機能があり、健康面での効果が高い
③木が醸し出す温(ぬく)もりと上質感、癒(いや)し効果がある
④断熱効果と吸熱効果により、建物を支える柱を火災の熱から守る

⑤高耐震性、高生産性を確保できる
⑥木材の活用で、山林の活力を取り戻し、二酸化炭素削減につながり、土砂崩れなどの自然災害の防止にも役立つ

住む人に安全・安心を与え、健康や癒し効果が期待できることがわかります。また木質感のある外観デザインから、木造の建物は地域に住む人たちにとっても、癒しなどを与えるといった効果が期待できそうです。

今、新しい工夫や挑戦が、様々な方向から進んでいます。私たちひとりひとりが、また企業や行政が国産材の利用を、意識して始めることによって、これからは、泣いていたスギの木は活用されるようになっていくと思います。

「上手に使う」サイクルを回しながら、森林活用と地域・林業活性化の実現に向けて、さあ、あなたも動き出しましょう。

コラム④ ソフトウッドとハードウッド

　私は、友人に子どもが生まれると木でできた玩具を贈っています。あるときその一人から、「長濱さんからいただいた木のミニカーを、子どもが気に入って家の中で走らせていたらフローリングの床にキズがついてしまった」という話を聞きました。なぜ、キズがついてしまったのでしょう。

　木材の硬さで木を大別する場合、スギやヒノキなどの針葉樹は柔らかく、クスノキのような広葉樹は硬いことから、英語では、針葉樹と広葉樹をそれぞれソフトウッド、ハードウッドと呼んでいます。

　マルホンさんでの取材で、その違いは、木が含んでいる空気の量に関係していることがわかりました。木を構成する細胞の間には、たくさんの空気の隙間が空いています。針葉樹の場合は空気の隙間の割合が高いので木は柔らかく軽くなり、広葉樹の場合は隙間の割合が低いので木は硬く、重くなります。それぞれの性質を見極めて、木は活用されています。

　たとえば針葉樹（ソフトウッド）は、柱や梁（はり）といった構造材や建築用材に多く利用されています。まっすぐに成長するため切り出しが容易で、軽く

木造建築の家の外観と室内（天井と梁，階段など）（著者撮影）

て扱いやすく、日本では室内のフローリング材などでもよく使われています。先のお宅の床は、おそらくスギの木のフローリングであったと推測しています。そのため広葉樹でできたミニカーを走らせたことで、床にキズがついてしまったのではないでしょうか。申し訳ないことをしました。

針葉樹の樹種が約五四〇種なのに対して、広葉樹(ハードウッド)は、世界で約二〇万種もあるといわれています。重くて硬く、キズがつきにくい樹種は、内装材として利用されています。欧米諸国では、靴を履いて暮らすため、広葉樹を床材として利用しています。さらに家具材としても広く使われています。

ところで、ストーブやキャンプなどでの薪の利用でも、針葉樹と広葉樹では使い方に違いがあることを知っていますか。さて、どちらの種類の木を利用するとよいでしょう。

針葉樹は柔らかいので割ったりしやすく、しかもよく燃えるので、着火の時に役にたちますが、実はすぐに燃え尽きてしまいます。一方、広葉樹の薪はゆっくりと時間をかけて燃えるため、熾(おき)が長持ちします。そのため部屋を暖めたり、時間をかけた料理をするときには欠かせません。ヒマラ

森の中でのキャンプ

ヤ山麓では、生活に必要な燃料として薪を必要とするため、地域の人たちは森で採取した広葉樹の枝を家の前に山積みにして乾燥させ、保管しています。広葉樹の中でもオーク類(主としてどんぐりのなる木)は、葉は家畜の餌になり、さらには薬用効果があり、幹は家を作る構造材にもなることから、生活には欠かせない樹木といわれています。

(参考資料:https://www.mokuzai.com/LearningWood/in_di-58「針葉樹と広葉樹の違い」に取材を加え、筆者がまとめなおした)

エピローグ　森とともに生きよう！

NPO法人である「角間里山みらい」が制作を進めていたイメージソング「森に入ろう。」という歌を聞いたことがありますか。作詞は金沢市在住のコピーライター江口誠さん、作曲は映画『蒲田行進曲』で日本アカデミー賞最優秀音楽賞を受賞された甲斐正人さんです。金沢市の「もりのみやこ少年少女合唱団」の澄んだ歌声が二〇一五年一〇月から里山保全活動の会場などで流されています。歌の中では、森林のことを「里山」として、里山で遊ぶ楽しさ、学ぶ喜び、そして豊かな心を森から教えてもらったことが歌われています。このように人間の生産・消費活動の一環として利用されることのある森や林のことを「里山」という場合も少なくありません。

インド北部のヒマラヤ地方で調査してきた私は、現地では地域の人たちが毎日、森に入り、薪を拾い、飼い葉(家畜の餌)を集めている姿を見てきました。森では山羊や牛を放牧して、その糞を藁などと混ぜて発酵させて畑の肥料にしていました。さらに森では、季節により様々な果実が実をつけます。それらの林産物を人々は、地域で分かち合って暮らしています。活きている「里山」を利用している地域では、生活を維持するために森が必要とされています。

他方、日本では、里山は生きる糧を得るための場所として機能してきた時代が長く続いてきましたが、高度成長期の一九六〇年代ごろからその役割は減っていきました。とはいっても、燃料の薪を森から得ること、山菜採りやタケノコ掘り、キノコ狩りなどの林産物利用は、今でも続いていますね。

森と過ごそう

森に入ると、どんな楽しみがあるでしょうか。

木登り、キャンプ、薪を燃やしての食事づくり、星空を眺める、鳥の声や風の音に耳を澄ませる、森の香りをかぐなど、楽しみ方はいろいろあります。森の恵みを探しに行くのは、私とその仲間にとっては楽しい時間です。

私は東日本大震災があった二〇一一年三月まで小学校の先生をしていました。そのころは毎年のように都内の小学生たちと一緒に、林間地域で野外生活を体験していました。今でも、キャンプ活動など野外体験を推進する認定NPO法人の会員になっています。

都会に住んでいると、山間地域に行く機会が少ないのですが、教室を出て学校を出て、みんなで林間地域を歩くと、教室での学びとは全く異なる、稀少な体験をすることができます。鳥の鳴き声や、川のせせらぎの音、風で木の葉がすれる音、森の香り、そして夜になると、闇はどうしてこんなに暗くて深いのかを実感するでしょう。

ずっと森に居たいと思う人もいるかもしれませんね。大人の間では、最近「ソロキャンプ」といって、一人で自然を楽しむキャンプが話題になっています。

私は小学生の間、毎年、夏休み期間を利用して長野県の山間部へキャンプに出されました。三日目くらいまでは自然体験活動が目新しく楽しく感じたのですが、五日目を過ぎたころからいつもの生活が恋しくなり、長距離バスで地元の名古屋へ戻ってきた時に高いビル群をみると、「無事に森から戻ってくることができた」と安堵(あんど)したことを思い出します。

読者のみなさんには、いろいろな機会を通じて都会と森を行き来して、森の中で貴重な体験をしてほしいなあと思っています。

森から得られる恵みは、水、空気、林産物、木材、癒(いや)しなど、たくさんあり、数えるのが難しいほどです。私のゼミの学生たちは、森に入って、「森にはビジネスチャンスがある」と考えるようになりました。林地の値段は戦後になって下がり、木材の値段もピークの時よりもまだ安い状況です。国の政策方針により、間伐(かんばつ)すると補助金が出ます。美林を維持するために必要な手入れをすることで、国からお金がもらえる業種は他にはないでしょう。さて、どんなビジネスが展開できるでしょうか。読者のみなさん、良いアイディアがあれば教えてください。

アイディア出しの参考資料として、図E-1を使ってみてください。

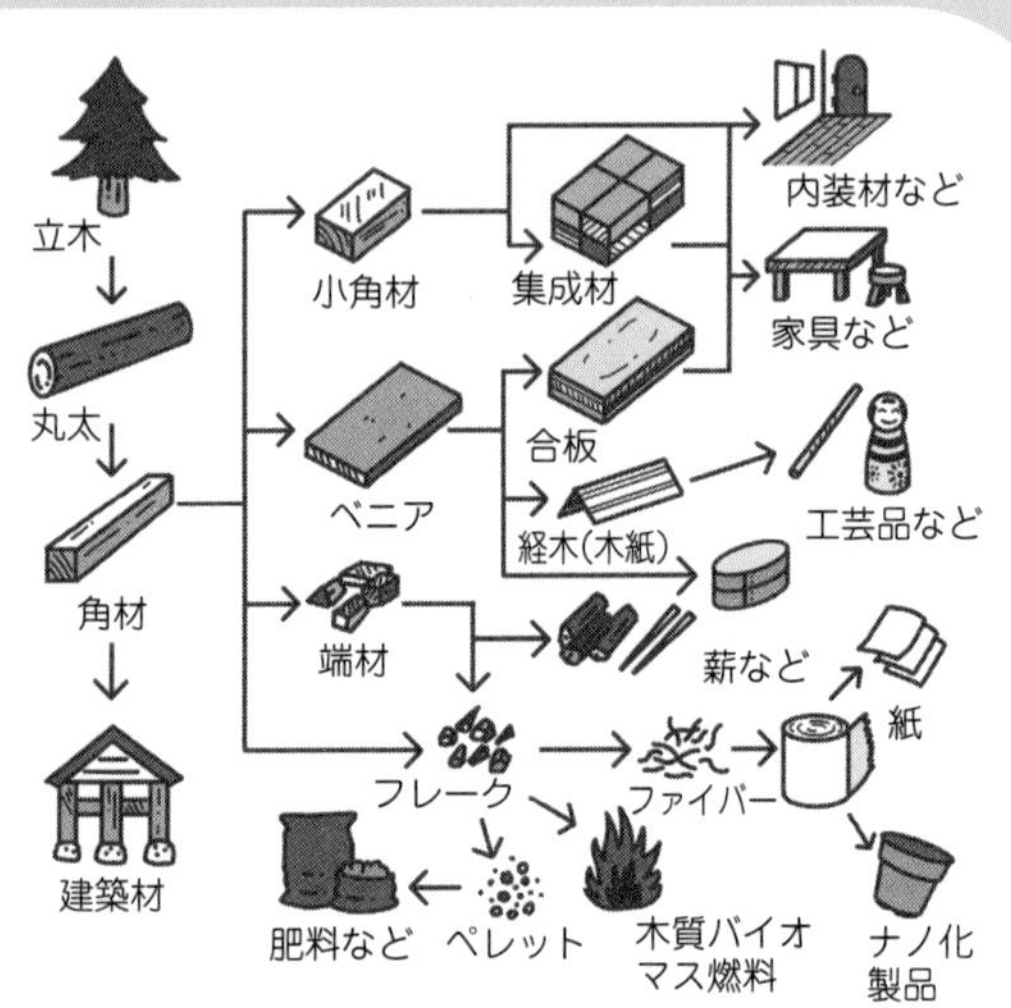

図E-1　木材の使い道はいろいろ

さて、みなさんはどんなアイディアが出てくるでしょうか。

ちなみに私の考える利用方法は、スギの場合は、次のとおりです。スギの木の箸や木箱を使う、スギ樽を利用して飲料水を保存する、その香りや色を楽しむことです。それからスギの木を利用した家に住み、スギの木の香る木製のバス（浴槽）に入る生活をこれから実践できないかと妄想しています。スギの木を身近に「使う」暮らしのアイディアは、他にもありそうですね。みなさんのアイディアを楽しみにしています。育て、使って、また植えるという「Good Use Cycle」がどんどん回れば、泣いている木にも笑顔が戻ってくるでしょう。

結果、地球環境への負荷が減り、人も笑顔になれるのではないでしょうか。

*　　　　*　　　　*

みなさんが考える、木を身近に「使う」暮らしを教えてください。その暮らしをぜひ実践して、周りの人に話をしてください。そして、その輪を広げていってください。私が所属している研究所にも、報告をいただければ幸いです。ご連絡をお待ちしています。

林業経済研究所
ホームページ　http://www.foeri.org/
メール：nagahama@foeri.org

次の一歩をふみだす地図

ノンフィクション
『森と山と川でたどるドイツ史』
（池上俊一/岩波ジュニア新書）

ノンフィクション
『テーマで探究③ ほんとうのエコシステムってなに？
――漁業・林業を知ると世界がわかる』
（二平章・佐藤宣子編著/農文協）

映画
『キツツキと雨』
（沖田修一監督/角川映画/2012）

小説
『神去なあなあ夜話』
（三浦しをん/徳間文庫）

絵本
『日本の材木 杉』
（ゆのきようこ作・阿部伸二絵/理論社）

小説
『神去なあなあ日常』
（三浦しをん/徳間文庫）

農林水産省 HP
「現場でかっこよく働く女性たち・その２山編」
（https://www.maff.go.jp/j/pr/aff/2003/spe1_03.html）

コミック
『リトル・フォレスト』
（五十嵐大介/講談社）

映画
**『WOOD JOB!
──神去なあなあ日常』**
(矢口史靖監督/東宝
/2014)

ドキュメンタリー映画
『森聞き』
(柴田昌平監督/プロダクション・エイシア/2011)

コミック
『山賊ダイアリー』
(岡本健太郎/講談社)

ノンフィクション
『森林で日本は蘇る』
(白井裕子/新潮新書)

コミック
『ゆるキャン△』
(あfろ/芳文社)

林野庁 HP
(https://www.rinya.maff.go.jp/)

小説
『古都』
(川端康成/新潮文庫)

ドキュメンタリー映画
『壊れゆく森から、持続する森へ』
(香月正夫監督/PARC/2020)

出典一覧

プロローグ　森へ行こう！

図 P-1　写真提供：福田淳氏
図 P-3　東京都福祉保健局「花粉症患者実態調査」2016 をもとに作成

1 豊かに利用されてきた日本の森

表 1-1　FRA2020 データをもとに林野庁が作成した表より作成
図 1-1　林野庁『森林・林業白書 2021 年度版』より
図 1-2　林野庁 HP「スギ・ヒノキ林に関するデータ」より
図 1-5　土倉梅造監修『完全復刻 吉野林業全書』日本林業調査会 2012 より
図 1-8　林野庁『森林・林業白書 2021 年度版』より

2 森と人の暮らしのかかわり

表 2-1　林野庁 HP「保安林の種類別面積」より
図 2-2　いずれも村井宏・岩崎勇作「林地の水および土壌保全機能に関する研究」1975 をもとに作成
図 2-3　第 17 回国際林業研究機関連合(IUFRO)世界大会論文集(1981 年)をもとに作成
図 2-5　林野庁『森林・林業白書 2021 年度版』より

3 これからの森の使い道

図 3-3　林野庁 HP「木質バイオマスの利用推進について」をもとに作成

エピローグ　森とともに生きよう！

図 E-1　宮下・阿部・白石「スギ材の有効利用の現状と家具部材への加工方法の提案」2008 をもとに簡略図を作成

長濱和代

博士(農学). 前・日本経済大学教授. 現・お茶の水女子大学附属小学校教諭. 名古屋市出身. 愛知教育大学教育学部卒業. 千葉県松戸市在住. 東京都で小学校教員を経て, 筑波大学大学院で修士(環境科学)取得. 東京大学大学院新領域創成科学研究科で単位取得退学. 地球環境の問題を, 世界の森林減少と保全から解きたいと考え, インドのヒマラヤ山麓でフィールドワークによりデータを蓄積する. 地域では, 林業女子会@東京, 森林ボランティアグループ「樹人の会」(松戸市)に参加するなど, 森林資源の循環を模索中.

長濱研究室：https://nagahamakaz.net/

岩波ジュニアスタートブックス

木が泣いている —日本の森でおこっていること

2023年 6 月9日　第1刷発行
2024年11月5日　第2刷発行

著　者　長濱和代(ながはまかずよ)

発行者　坂本政謙

発行所　株式会社 岩波書店
〒101-8002 東京都千代田区一ツ橋 2-5-5
電話案内 03-5210-4000
https://www.iwanami.co.jp/

印刷・三秀舎　製本・中永製本

ISBN 978-4-00-027251-3　NDC 654　Printed in Japan